D1256279

LE MONDE ÉTONNANT DES
ANIMAUX

NATHAN

Les animaux des pays chauds

Singe mandrill

Girafes

Gazelles

Rhinocéros

Hippopotames

Zèbres

Lion

A quoi sert la trompe des éléphants ?

Lorsqu'un éléphant se douche avec sa trompe, c'est peut-être parce qu'il a chaud. Mais surtout, il chasse ainsi les insectes qui le dérangent. S'ils le piquent, il se roule dans la boue et la poussière. La trompe, c'est aussi le nez de l'éléphant. Un nez qui ne lui sert pas seulement à sentir les odeurs. Pour nourrir son énorme corps, l'éléphant passe sa journée à manger. Son long nez souple, comme un bras, lui permet de porter les herbes et les feuillages à sa bouche. Le bout est si habile qu'il peut même attraper une petite cacahuète.

L'hippopotame flotte-t-il comme une bouée ?

Pas tout à fait, mais presque. Le corps tout rond de l'hippopotame est bien fait pour l'aider à flotter. Il renferme de gros poumons qui contiennent beaucoup d'air, et sa peau recouvre une épaisse couche de graisse. Cette énorme « bulle d'air », ce rond « paquet » de graisse flotte assez bien. Tant mieux. Car un petit hippopotame naît dans l'eau. Sa mère l'élève dans la rivière pendant près d'un an. Elle le nourrit avec son lait, le promène sur son dos, lui apprend à nager. Peu à peu, il commence à brouter les algues et les nénuphars. Il n'aime pas beaucoup le soleil. Il préfère l'eau et sa fraîcheur.

Le long cou des girafes n'est-il pas trop encombrant ?

Le long cou de la girafe n'est en réalité soutenu que par sept os empilés les uns sur les autres : des vertèbres. Il n'est pas assez souple pour qu'elle puisse le plier et abaisser sa tête vers l'eau. Pour boire, la girafe doit écarter les pattes. Pour manger, au contraire, son cou est bien pratique. Grâce à lui, elle broute facilement des feuilles qui poussent à la hauteur d'un troisième étage. Même l'éléphant, malgré sa longue trompe, a du mal à venir les lui voler !

Les éléphants aiment se doucher avec leur trompe   *Elle leur sert aussi à brouter*

Le corps tout rond des hippopotames les aide à flotter dans l'eau

La girafe attrape facilement les feuilles…   *mais elle doit écarter les pattes pour boire*

A quoi servent les taches des panthères ?

Les taches du pelage de la panthère ressemblent aux ombres que dessinent les feuilles sur le sol. Comme les taches que portent le guépard et le jaguar. Ces dessins sombres leur permettent de se faufiler sans être vus entre les herbes et les branches. Très silencieusement, la panthère approche ainsi de ses proies et soudain, dans un bond fantastique, elle saute au cou d'une antilope distraite ou d'un singe joueur. Ils n'ont pas eu le temps de s'enfuir.

Pourquoi les gros animaux ne sont-ils pas très colorés ?

Si les gros animaux de la savane ou de la forêt étaient très colorés, nous aurions un spectacle magnifique. Mais pour eux, ce serait dangereux. Car leurs ennemis les verraient de loin. Ils les chasseraient plus facilement. Les papillons, eux, ne risquent rien. Ils vivent au milieu des fleurs, ou ne volent que la nuit. Quant aux perroquets, ils s'enfuient en hurlant au moindre danger. Bien malin qui pourrait les attraper ! Certains lézards, ou le singe mandrill, ont pourtant des couleurs vives. Elles sont importantes pour eux. Elles aident leurs femelles à les reconnaître.

Le caméléon change de couleur...   *en passant de l'ombre...*   *à la lumière*

La panthère se cache dans les arbres

Le tigre rayé préfère les hautes herbes

Papillons et perroquets

Le singe mandrill

Les couleurs de la savane

Comment le caméléon peut-il changer de couleur ?

Le caméléon est un lézard très coloré. Sa peau renferme des grains minuscules, bleus, violets, verts, noirs. Lorsqu'il a peur, ou qu'il est en colère, certains de ces grains s'agrandissent et bougent un peu. Cela cache le bleu, le vert ou le noir, et le caméléon change de couleur. Il se confond ainsi mieux avec le paysage qui l'entoure. Il fait la même chose quand il passe de la lumière à l'ombre. Mais ne crois pas qu'il portera des carreaux ou des rayures si tu le poses sur une nappe à carreaux ou à rayures ! Simplement, il sera sans doute mécontent et changera naturellement de couléur.

Les animaux sauvages doivent se défendre

Ils tuent souvent pour se nourrir

Une lionne attaque un zèbre

Ensuite, les lions dévorent leur proie

Pourquoi les lions tuent-ils les zèbres ?

Certains animaux, comme les zèbres, broutent. Ils se nourrissent d'herbes et de végétaux. D'autres, au contraire, les lions par exemple, ne peuvent digérer que la viande. Leur estomac ne supporte rien d'autre. Ils doivent donc tuer des animaux plus faibles qu'eux. Sinon, ils mourraient de faim. Ils te semblent peut-être féroces. Mais si tous les lions disparaissaient, il y aurait tellement de zèbres que l'herbe manquerait... et ils mourraient à leur tour. Ce n'est pas cruel. C'est la vie dans la nature. Certains animaux doivent manger les autres.

Est-ce que les animaux sauvages sont méchants ?

Les animaux sauvages ne sont pas « méchants ». Ils ne veulent pas faire de mal. Ils tuent pour manger, tout simplement. Si parfois ils griffent ou attaquent des gens, c'est pour se défendre, ou protéger leurs petits. Ils nous font alors très peur. Souvent même, un animal crie pour nous avertir. Pour dire : « Vous approchez trop près de chez moi. Partez vite ! » On dit qu'une bête est sauvage pour expliquer qu'elle vit en liberté dans la nature. Au milieu de la savane, une souris est aussi sauvage qu'un lion ou un serpent.

Tous les animaux sauvages sentent-ils mauvais ?

Dans les zoos, les bêtes enfermées sentent souvent mauvais parce qu'elles n'ont pas assez de place pour vivre. Dans la nature, leur peau et leurs poils ont une odeur moins forte. En réalité, les odeurs sont très utiles aux animaux. Ils les laissent sur les troncs d'arbre, les cailloux, les herbes. Les mâles et les femelles se retrouvent souvent ainsi. Les paisibles herbivores savent bien reconnaître dans le vent l'odeur des carnivores qui approchent. Et un animal prudent évitera de rentrer sur le terrain « marqué » par les odeurs d'un voisin plus fort que lui.

Dans les zoos, les animaux sentent fort

Dans la nature, le buffle sent le lion

11

Pourquoi les gazelles restent-elles toujours ensemble ?

Dans la savane, les gazelles se rassemblent en troupeaux. Comme les gnous ou les buffles. Pourtant, ces animaux n'appartiennent à personne et n'ont pas de gardien. Mais, au moindre danger, toutes les gazelles s'enfuient très vite.

C'est leur meilleure défense. Car le lion, la hyène ou le léopard qui les menace verra tant de pattes, de cous, qu'il ne saura plus lequel saisir. Seul l'animal distrait, vieux ou malade se fera dévorer. Les troupeaux d'éléphants sont un peu différents. Ils sont surtout formés de femelles. Les mâles restent à l'écart et ne reviennent que pour faire leurs petits.

Qui est le chef du troupeau ?

Certains animaux suivent vraiment un chef, un mâle ou une femelle, toujours âgé. Ainsi, les troupeaux de buffles sont menés par une vieille femelle. Les jeunes et leurs mères vivent ensemble. Les grands mâles restent à distance, solitaires. Si un lion rôde, ils l'empêchent d'approcher. Mais si plusieurs lions menacent le troupeau, les femelles se mettent autour de leurs petits et les protègent, pendant que les mâles livrent combat.

Les perroquets parlent-ils entre eux ?

« Coco est content », savent dire certains perroquets. Mais ils ne parlent pas vraiment. Leur maître leur a patiemment appris quelques mots, et ils les répètent sans comprendre. Pourtant, les animaux se « parlent » entre eux, à leur manière. Pas avec des mots comme les nôtres. Leur cri peut vouloir dire : « J'ai peur », « J'ai envie d'un câlin », « J'ai trouvé à manger » ou encore « Fuyez, c'est dangereux ». Les couleurs, les mouvements, les odeurs servent aussi de « langage » aux animaux. Ils leur permettent de « communiquer ». Pour les faire tomber dans leurs pièges, les chasseurs apprennent à les imiter.

Les gazelles et les bisons vivent en troupeau,...   *les éléphants aussi*

Une vieille femelle conduit le grand troupeau de buffles

Un perroquet   *Ces oiseaux ne parlent pas : ils ne répètent que quelques mots*

Pourquoi les serpents n'ont-ils pas de pattes ?

Les chiens, les girafes, les oiseaux, les lézards, presque tous les animaux ont des pattes. Mais pas les serpents. Pourtant, les savants pensent que les ancêtres de ces animaux en possédaient. Peu à peu, ils ont appris à se déplacer en faisant onduler leur long corps sur le sol, et en bougeant les écailles de leur ventre. Les pattes, qui ne servaient plus à rien, ont lentement disparu. Les serpents d'aujourd'hui n'en ont plus. Ce qui ne les empêche pas de monter parfois aux arbres, de nager ou même de creuser la terre.

Un charmeur de serpent

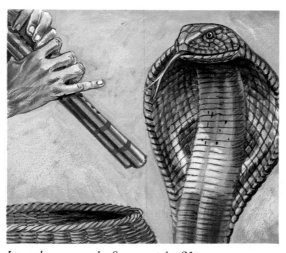

Le cobra regarde fixement la flûte

Est-il vrai que des serpents dansent au son de la musique ?

En Inde, les enfants et les curieux se rassemblent souvent autour des charmeurs de serpents. Devant eux, les cobras mortels se balancent comme pour suivre le rythme de la musique. Pourtant, les gens qui étudient les serpents affirment qu'ils sont pratiquement sourds ! En réalité, le cobra suit les mouvements de la flûte de son maître. Car, tout en jouant, celui-ci ne cesse jamais de remuer son instrument. Peut-être l'animal croit-il voir un autre serpent ? Pourquoi pas ?

Certains serpents aiment nager

D'autres grimpent aux arbres

Un serpent python engloutit sa proie

L'immense anaconda vit près des fleuves

Est-ce que les serpents géants mangent les gens ?

La morsure de la plupart des serpents des pays chauds est très dangereuse. Pourtant, les serpents géants, comme les boas et les pythons, ne mordent pas. Ils enroulent leur corps puissant autour de leur proie et serrent très fort pour l'étouffer. Jusqu'à la mort. Puis ils avalent leur repas. Des légendes racontent que des serpents de 30 mètres de long engloutissent des hommes. En réalité, le python le plus grand ne dépasse pas 10 mètres. Le plus souvent, il a peur des gens et avale simplement de petites proies, des singes par exemple. Très rarement, il s'attaque à un crocodile.

Le rhinocéros n'est pas un animal préhistorique,..

Triceratops n'est pas son ancêtre

Existe-t-il des gorilles géants comme King Kong ?

King Kong n'a jamais existé. C'est un animal de cinéma. Il a été construit par des gens qui voulaient raconter une histoire. Ils l'ont fait ressembler à un gorille géant. Les vrais gorilles sont rares, et vivent au plus profond de quelques forêts d'Afrique. Ils peuvent mesurer deux mètres de haut. Malgré leur force colossale et leurs terribles dents, ils sont plutôt doux et timides. Ils cueillent des fruits et mangent surtout des plantes. Ils se déplacent beaucoup et, chaque soir, ils font un lit de branchages avant de s'endormir, confortablement allongés, et tranquilles.

King Kong est un gorille de cinéma

Les vrais gorilles ne mangent que des plantes

Le rhinocéros est-il un animal préhistorique ?

Malgré sa corne sur le nez et son épaisse cuirasse de peau, le rhinocéros n'est pas un animal préhistorique, même s'il en a l'aspect. Depuis toujours, les bêtes ont dû se battre et se défendre pour survivre. Même les animaux préhistoriques. Voilà pourquoi ils avaient souvent des cornes ou une grosse cuirasse de peau, comme le rhinocéros aujourd'hui. Pourtant, cette peau qui semble impossible à transpercer est sensible aux piqûres d'insectes. Sur le dos de cette énorme bête, des oiseaux s'installent souvent pour la débarrasser des gêneurs.

Pourquoi les singes ressemblent-ils à des hommes ?

Tous les animaux qui existent aujourd'hui sur la Terre ont de lointains « parents », des ancêtres, qui existaient il y a très longtemps. Les hommes aussi en ont, qu'ils soient blancs, jaunes ou noirs. Seulement voilà : notre plus lointain ancêtre est le même que celui des singes. Il vivait juste avant les premiers hommes préhistoriques. Depuis cette époque, les singes ont peu à peu changé. Les hommes aussi. Il nous reste cependant quelques ressemblances avec nos vieux « cousins » les singes.

Une mère chimpanzé et son petit

La face d'un orang-outang

Comment les animaux font-ils leurs petits ?

Il faut d'abord qu'un mâle rencontre une femelle. Comme un homme doit rencontrer une femme pour avoir un enfant. On dit qu'ils « s'accouplent ». Presque tous les animaux terrestres ont un sexe. Avec le sien, le mâle dépose dans celui de la femelle du « sperme ». Ce liquide féconde alors une sorte d'œuf, appelé « ovule ». Puis l'œuf grossit et se transforme peu à peu en petit. Certaines femelles le gardent dans leur ventre jusqu'à la naissance, comme les mammifères. D'autres pondent, et le petit se développe à l'intérieur d'une coquille, comme les oiseaux, avant d'en sortir au moment de l'éclosion.

Où naissent les crocodiles ?

Comme beaucoup de reptiles, la femelle crocodile pond des œufs. Plusieurs dizaines à la fois, qu'elle dépose dans un nid creusé dans le sol. Puis elle referme le nid et attend la naissance. Pendant trois mois, elle reste ainsi près de sa ponte, en mangeant très peu. Un jour, la mère crocodile entend le cri de ses petits qui l'appellent. Aussitôt, elle creuse la terre. Quand une coquille est très résistante, le père la brise en la roulant entre ses mâchoires. Les parents rassemblent ensuite les nouveau-nés dans leur gueule et les emportent pour leur premier bain.

Le petit kangourou tète

Il reste pendant plusieurs mois dans la poche de sa mère

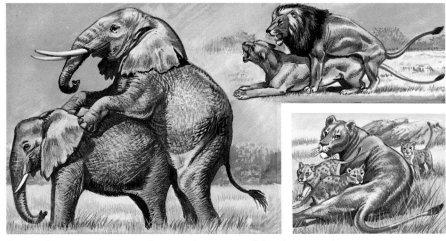

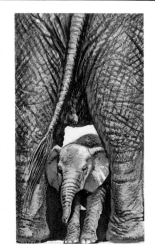

Les animaux terrestres s'accouplent pour faire leurs petits

La femelle crocodile pond des œufs *L'éclosion* *Le premier bain*

Pourquoi les kangourous portent-ils leur petit dans une poche ?

Beaucoup d'animaux grandissent pendant des semaines ou des mois dans le ventre de leur mère avant de naître, comme les lionceaux... ou les bébés. Les kangourous, eux, naissent très tôt. Mais ils sont fragiles. Ils doivent encore prendre des forces pour ne pas mourir. Le petit kangourou escalade alors lentement le ventre de sa mère et rentre dans une poche spéciale, formée par un repli de la peau. Dans ce refuge chaud, il se nourrit en tétant et grandit. Six mois plus tard environ, quand il sera assez fort, il sortira de la poche pour aller vivre parmi les autres animaux.

Comment est-ce dans la « maison géante » des termites ?

Les termites, complètement aveugles, construisent de véritables « maisons géantes ». Ces termitières peuvent dépasser la taille d'une girafe. A l'intérieur, chacun sait ce qu'il doit faire : protéger la reine termite. Celle-ci, aussi grosse qu'un pouce, n'a qu'un seul travail : pondre. De leur côté, les termites ouvriers entassent la nourriture, construisent des galeries, élèvent les jeunes. Tous sont protégés par les termites soldats, qui massacrent impitoyablement les ennemis. De temps en temps, des couples s'envolent pour construire ailleurs d'autres termitières.

Y a-t-il beaucoup de moustiques dans les pays chauds ?

Dans les pays chauds, le long des fleuves, autour des marécages, les moustiques volent par milliers. Certains, lorsqu'ils piquent, laissent des microbes dans le sang de leur victime. Ils provoquent alors une fièvre si forte que l'on peut en mourir. D'autres pondent leurs œufs sous la peau des gens. Ils sont aussi très dangereux. Il existe une mouche appelée tsé-tsé, dont la piqûre est très fatigante. Ceux qui ont été atteints ne mangent même plus. Ils se laissent mourir de la « maladie du sommeil ». Aujourd'hui, les médecins connaissent bien la plupart de ces maladies et savent les guérir.

Les insectes des pays chauds sont-ils très gros ?

Les insectes sont les animaux les plus nombreux et les plus variés de la Terre. Dans les pays chauds, certains sont beaucoup plus grands que chez nous. Un papillon géant, par exemple, vit dans les forêts d'Amérique du Sud. Ses ailes magnifiques sont plus larges qu'une assiette. En Afrique, de curieux scarabées se retrouvent par centaines autour du crottin d'éléphant ! Certains sont plus gros qu'une souris, d'autres mille fois plus petits. Ils pondent leurs œufs dans de grosses boules de crottin qu'ils enfouissent dans le sol. On les appelle des bousiers.

La « maison » des termites

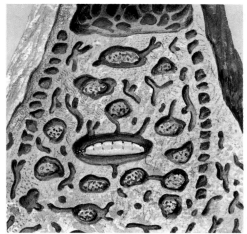
A l'intérieur d'une termitière

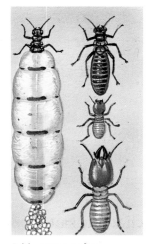
L'énorme reine

Dans les pays chauds, des maladies...

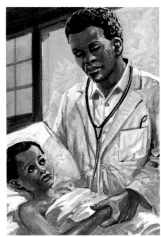
sont transmises...

par des mouches et des moustiques

Le bousier d'Afrique

Un papillon géant

Dans la fraîcheur du sable   *Au fond du terrier*   *Un abri dans un cactus*

Que mangent les animaux des déserts ?

Les insectes grignotent les maigres feuilles, transportent les rares graines, ou se dévorent entre eux. Ils seront à leur tour mangés par les crapauds, les musaraignes ou certains lézards. Les rats croquent les cactus ou font des réserves de grains. Les renards et les serpents sont pour eux des ennemis mortels. Quant aux oiseaux, les uns recherchent les fruits, d'autres pourchassent les insectes. Tandis que les chouettes et les vautours s'emparent de toutes les proies, mortes ou vivantes.

Pourquoi le dromadaire est-il bossu ?

Un dromadaire peut vivre plusieurs jours sans manger ni boire. Pour résister ainsi, il « digère » lentement toute la graisse de son corps, et surtout celle que contient sa grosse bosse. Car celle-ci n'est pas remplie d'eau. C'est la « digestion » de la graisse qui produit le liquide nécessaire au corps du dromadaire. Il maigrit alors tellement qu'il fait peine à voir ! Pour économiser son eau, le dromadaire fait aussi très peu pipi et ne transpire pas. Comme beaucoup d'animaux du désert. Mais quand il boit, il est capable d'avaler 100 litres en quelques minutes.

Où vivent les animaux dans les déserts ?

Pour les animaux des déserts, la grosse chaleur des journées est mortelle. Mille-pattes, araignées et scorpions se cachent sous des cailloux. Crapauds, lézards et serpents préfèrent s'enfouir dans le sable pour trouver un peu de fraîcheur. Tout autour vivent les mammifères, des musaraignes aux chacals. Un rat possède un terrier si compliqué... qu'il s'y perd un peu lui-même. Le renard des sables, lui, attend la nuit pour sortir de sa tanière. Dans le ciel, volent quelques oiseaux, qui ont bien du mal à s'abriter des rayons du soleil.

Un criquet herbivore...

mangé par un lézard...

capturé par un oiseau

Grâce à leur bosse, les dromadaires peuvent rester plusieurs jours sans boire

Les animaux des pays froids

Tigre de Sibérie

Élan

Ours blancs

Lièvre polaire

Panthère des neiges

Renne

Éléphant de mer

Morse

Otarie

Manchots

Les animaux des pôles n'ont-ils pas trop froid ?

Quand il fait froid, tu t'habilles chaudement. Eh bien, les animaux des pays froids sont très bien couverts. Certains, comme les phoques ou les éléphants de mer, ont sous la peau une épaisse couche de graisse qui les protège. Les ours blancs possèdent une magnifique fourrure. Quant aux manchots du pôle Sud, ils ont trouvé une autre solution : ils se rassemblent par milliers et vivent serrés les uns contre les autres. Voilà une bonne manière de se tenir chaud !

Les animaux qui se cachent en hiver dorment-ils vraiment ?

Beaucoup d'écureuils et d'ours hibernent. Recroquevillés au fond de leur cachette, ils ne respirent presque plus. Pour économiser leur énergie, leur cœur se met à battre 10 à 100 fois moins vite que d'habitude. De temps en temps, ils se réveillent un peu. Ils se réchauffent quelques heures, font leurs besoins, puis se rendorment. Leur corps se refroidit alors considérablement, même à l'intérieur. Mais ils ne mourront pas. Ils ressortiront au printemps. Au Canada, les curieux « serpents-jarretières » s'installent en hiver à plusieurs milliers dans une même tanière, presque immobiles.

Tous les animaux des pays froids hibernent-ils ?

Non, pas tous. Le lièvre polaire, par exemple, ne pourrait pas le supporter. Mais, pour se défendre du froid, il a des oreilles et une queue plus courtes que ses cousins de nos régions. Son corps perd ainsi moins vite sa chaleur. En hiver, le pelage du lièvre polaire devient tout blanc. Il peut ainsi se confondre avec le tapis de neige. Dans les pays très froids, les renards ou les cerfs, eux non plus, n'hibernent pas.

Une colonie de manchots

Les phoques sont très gras

L'ours blanc a de longs poils

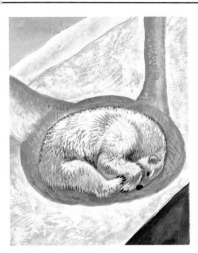
Endormi pour l'hiver

Ces serpents hibernent...

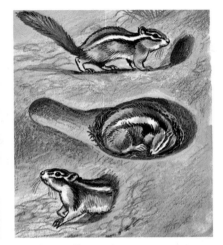
cet écureuil aussi

Tenue d'été, tenue d'hiver

Les élans et les caribous n'hibernent pas

Comment vivent
les ours blancs en hiver ?

Certains animaux, comme les lièvres polaires, deviennent bruns en été. Les ours blancs, eux, restent blancs toute l'année. Leurs longs poils graisseux les protègent de l'eau glacée. En hiver, seules les femelles hibernent avec leurs petits, dans une tanière creusée sous la neige. Les mâles partent, en suivant les glaces flottantes. Ils reviendront vers la terre à la nage. Les ours blancs, carnivores, dévorent des saumons ou des morues, mais aussi des phoques et de jeunes baleineaux.

Les morses portent de longues dents recourbées...

dont ils se servent pour chercher à manger

Que font les morses
sous la glace ?

Les morses vivent en troupeaux au pôle Nord. Pendant l'hiver, ils percent un trou dans la glace pour venir respirer à la surface. Ils ne peuvent pas rester sous l'eau plus d'un quart d'heure sans remonter. Ils ont sur le museau une moustache très sensible. Lorsqu'ils trouvent des coquillages au fond de la mer, ils les détachent avec leurs longues dents recourbées. Puis ils les sucent goûlument, avant de recracher les coquilles. Les morses portent également au niveau du cou deux poches qui peuvent leur servir de flotteurs quand ils somnolent en mer.

Les ours blancs jouent dans l'eau glacée

Ils chassent des phoques et des poissons

Le tigre de Sibérie est très gros

Le pelage de la panthère des neiges

Existe-t-il des tigres dans les pays froids ?

Oui, même si cela te paraît surprenant. Bien sûr, ces tigres, au pelage assez clair, sont adaptés au grand froid de l'hiver. Ceux qui habitent les forêts de Sibérie sont énormes, beaucoup plus gros que leurs cousins de l'Inde ou de l'île de Java. Ils gardent mieux ainsi la chaleur de leur corps. Leurs larges pattes leur permettent de ne pas s'enfoncer trop profondément dans la neige. D'autres « chats sauvages » vivent également dans les hautes montagnes. Le plus connu est la panthère des neiges, d'Asie centrale.

Les éléphants de mer ressemblent-ils à des éléphants ?

Pas du tout ! Ce sont d'énormes phoques. Les vieux mâles peuvent peser plus de 3 000 kg. Les pattes arrière des éléphants de mer sont « collées » et forment une sorte de queue qui ne les aide pas vraiment à marcher. Ils se traînent péniblement en se balançant, appuyés sur leurs pattes avant qui ressemblent à des ailerons griffus. Leur nom vient de leur nez, que les mâles gonflent quand ils sont en colère. Ces animaux, patauds sur terre, sont très habiles dans l'eau.

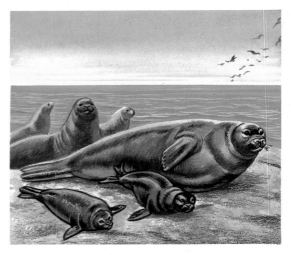

Une famille d'éléphants de mer

Deux mâles se battent en gonflant leur nez

Est-ce que les manchots volent ?

Les manchots sont ces curieux animaux, maladroits et drôles, que l'on appelle souvent à tort « pingouins ». Avec leurs pattes resserrées, comme prises dans la même jambe de pyjama, ils avancent bien mal. Quand ils marchent, ils gardent l'équilibre en écartant leurs courtes ailes plates, mais ils ne peuvent absolument pas voler. Pourtant, ce sont des oiseaux. Ils portent un épais manteau de petites plumes graisseuses, bien serrées. Dans l'eau, ils sont très agiles. Leurs ailerons les poussent comme des torpilles. Ils aiment plonger et jouer dans la mer.

Comment les manchots font-ils leur nid ?

En général, ils n'en ont pas. Les manchots empereurs pondent leur œuf sur la glace du pôle Sud. Pendant que les femelles vont se nourrir en mer, les mâles restent là. Ils gardent l'œuf posé sur leurs pattes, bien au chaud dans un repli de peau. Pendant quatre mois, ils ne mangeront pas. Ils couveront. Les manchots royaux, eux, reviennent à terre, tous les ans au même endroit. Ils défendent leur œuf à coups de bec et d'ailerons. Dès qu'il est né, le petit vient chercher à manger au fond du bec de ses parents, qui le reconnaissent à son cri.

Un manchot mâle couve

En grandissant, les petits changent de plumes

Les manchots nagent très bien...

mais ils ne volent pas...

et marchent mal

La baleine à fanons avale des tonnes de « crevettes »

Les baleines aiment jouer

Un troupeau de dauphins

Le dauphin blanc

Bon appétit !

Est-ce que le narval existe vraiment ?

Avec sa longue corne torsadée, le narval a l'air bien étrange. Il fait lui aussi partie de la grande famille des baleines. Sa corne est en réalité une dent qui grandit dans la bouche des mâles. Elle atteint parfois plus de deux mètres ! Mais à quoi peut bien servir cette encombrante défense ? A chasser ? A fouiller le sable du fond ? A se battre ? Personne ne le sait vraiment. Lorsque des marins ont découvert les premières dents de narval, ils ont cru qu'elles appartenaient à un animal de légende, la licorne, qui n'a jamais existé.

Y a-t-il des baleines près des glaces des pôles ?

Dans les mers polaires, l'eau est très froide, presque autant que la glace. Pourtant, les baleines aiment s'y retrouver. Leur épaisse couche de graisse les protège bien. Dans ces régions, vivent des milliards de petites « crevettes », le krill, et les baleines, qui ont un gros appétit, en avalent chaque jour d'énormes quantités. Elles grossissent rapidement. Lorsque la nourriture devient rare, elles partent vers des mers plus chaudes. Là, elles mangent peu et mettent au monde leur petit. L'année suivante, elles reviendront vers leur « garde-manger » glacé.

Des dauphins vivent-ils dans les eaux froides ?

Les dauphins font partie de la grande famille des baleines. Certaines d'entre elles n'ont pas de dents. Dans leur bouche, se trouve une sorte de passoire, les fanons. Ils retiennent les minuscules animaux de l'eau de mer dont elles se nourrissent. Les dauphins sont des baleines à dents. On en rencontre dans les mers chaudes, mais aussi dans les régions polaires, très riches en poissons. Près du pôle Nord, vit un grand dauphin blanc : le béluga. On l'appelle le « canari des mers » car, sous l'eau, ses cris résonnent comme un magnifique chant.

La « corne » du narval

Au musée

La licorne légendaire

Les phoques peuvent-ils se faire dévorer ?

Comme les baleines, de nombreux phoques aiment les eaux des mers polaires. Ils y trouvent facilement leur nourriture. Cependant, ils doivent venir sur la terre ferme pour mettre leurs petits au monde. Ils se déplacent alors difficilement, en se traînant sur le sol, comme un gros sac. Mais dans l'eau, ils sont très agiles. Cela ne leur suffit pas toujours pour échapper aux mâchoires des requins, des cachalots, des ours blancs ou des orques, ces redoutables dauphins tueurs. Sans oublier le léopard des mers, un phoque carnassier qui, avec ses terribles dents, peut s'attaquer aux autres phoques.

Que mangent les rennes en hiver ?

Les rennes ressemblent un peu à des cerfs. Ils vivent en immenses troupeaux sur les terres froides et battues par les vents, proches du pôle Nord. Pendant l'hiver, ils se déplacent à la recherche de leur nourriture. S'il le faut, ils traversent de larges cours d'eau ou des passages envahis par la mer pour partir vers des régions moins enneigées. Quand ils ne savent plus où aller, ils grattent la neige avec leurs sabots ou leurs cornes, puis ils broutent les maigres plantes. Mais en hiver, les rennes ne mangent pas à leur faim, et ils perdent beaucoup de poids.

Les chiens de traîneau chassent-ils pour se nourrir ?

Pour circuler sur la glace et la neige, les Eskimos utilisaient autrefois de grands traîneaux tirés par des chiens. Ces bêtes magnifiques, puissantes et très résistantes, n'ont pas besoin de chasser, car leur maître les nourrit et les soigne. Mais ils ont un gros défaut : leur mauvais caractère ! Il faut s'en méfier. Ces chiens se battent parfois si cruellement qu'ils se font de terribles blessures. On raconte que certains, perdus et abandonnés dans le grand Nord, deviennent sauvages et se regroupent en bande pour chasser, comme des loups. Mais c'est très rare.

Ces orques s'attaquent à un phoque

Le léopard de mer

Les rennes partent à la recherche de leur nourriture

En hiver, l'herbe est rare

Les traîneaux eskimos sont tirés par des chiens

Ces animaux peuvent attaquer un ours

Existe-t-il des ours blancs dans les très hautes montagnes ?

Chaque espèce animale ne peut pas vivre n'importe où. Les ours des montagnes sont bruns, ou noirs, mais jamais tout blancs. Les ours blancs, eux, ne vivent que sur les glaces et les terres du grand Nord. Ce sont de redoutables chasseurs, aussi bien sur terre que dans l'eau. Ils sont capables de courir très vite, ou de nager long-temps sans se fatiguer. Malgré leur force, ils attaquent rarement les morses. Ils s'en méfient, car ceux-ci leur donnent parfois des coups de dents mortels. Pendant l'été, il arrive même à ces ours de brouter paisiblement quelques algues qui poussent le long des côtes.

Où vivent les yacks ?

Les yacks sont de curieuses vaches couvertes d'une épaisse fourrure, qui traîne jusqu'au sol. Ils forment des troupeaux dans les hautes montagnes de l'Himalaya, en Asie. Là, ils vivent sur les pentes couvertes d'herbes et de rocaille. Il n'en existe nulle part ailleurs. Les habitants de la région élèvent les yacks comme des vaches. Ils boivent leur lait, man-gent leur viande, tissent leurs poils et utilisent leur peau pour faire du cuir. Après une longue marche en montagne, ils se régalent souvent d'un bol de thé dans lequel ils font fondre du beurre de yack.

Un pas dans la neige

Le yéti imaginaire

Un homme-singe

Sur un vieux manuscrit

Les ours des montagnes ne sont pas blancs

Les ours blancs ne vivent qu'au pôle Nord

Une caravane de yacks dans l'Himalaya

Le lait de yack est très nourrissant

Est-il vrai qu'un homme-singe habite dans l'Himalaya ?

Les habitants de l'Himalaya racontent qu'une sorte de gorille, moitié homme et moitié singe, vit dans leur montagne. Ils l'appellent le yéti. De temps en temps, ils disent qu'ils ont vu ses traces dans la neige. Certains chasseurs sont même persuadés d'avoir découvert son crâne. Partout dans le monde, des montagnards affirment que des monstres se cachent dans les hautes forêts de leur pays. Il existerait ainsi un mystérieux homme des neiges au Canada, un autre en Asie centrale, et même un en Amérique du Sud. Mais personne n'a encore capturé une seule de ces bêtes étranges.

Dans la forêt, sous nos pieds

Scolyte

Galeries de scolyte

Campagnol

Fourmis rouges

Limace

Araignée

Cloporte

Collembole

Larve de taupin

Acarien

Renard

Blaireau

Lapin sauvage

Les forêts sont-elles partout les mêmes ?

Il existe des forêts immenses et des forêts toutes petites, que l'on appelle des bois. Des forêts de chênes, de hêtres, de charmes, de sapins ou de pins. Les unes sont touffues, d'autres plus aérées. Certaines comptent des arbres qui ont plusieurs centaines d'années. Dans nos régions, on distingue les forêts de feuillus, les arbres qui perdent leurs feuilles à l'automne, et les forêts de conifères, ceux qui gardent une partie de leurs aiguilles et restent verts toute l'année. Dessous, poussent aussi toutes sortes de plantes, qui rampent sur le sol ou grimpent en hauteur.

Qui s'occupe des forêts ?

Les gens qui s'occupent des forêts sont les forestiers. Ce sont leurs « jardiniers ». Pour qu'elles restent belles et en bonne santé, ils surveillent la croissance des arbres, soignent ceux qui ont des maladies, abattent ceux qui sont morts, en plantent de nouveaux, au bon moment. Ils enlèvent les fougères et les petits arbustes des fourrés qui empêchent les jeunes arbres de pousser. Ils décident parfois de faire des coupes dans les forêts trop serrées pour ne garder que les plantes les plus vigoureuses et les plus belles.

Qu'est-ce qu'un taillis ?

Les hommes exploitent les forêts pour utiliser le bois. Certains arbres, comme le chêne, le charme ou le châtaignier, sont coupés régulièrement. Les souches des troncs qui restent dans le sol font des rejets, qui donneront de nouveaux arbres. Peu à peu, ceux-ci forment un taillis, c'est-à-dire une forêt de petits arbres qui n'ont pas encore grandi. Quand on coupera le taillis, on laissera les meilleurs arbres, qui pousseront beaucoup plus haut. Ils formeront alors une futaie, un mot qui vient de fût : c'est ainsi que l'on appelle un beau tronc.

Les feuillus perdent leurs feuilles

Les conifères gardent leurs aiguilles

Les forestiers nettoient les sous-bois et entretiennent les arbres des forêts

Les petits arbres forment les taillis...

les grands forment les belles futaies

Pourquoi dit-on qu'il y a des étages dans une forêt ?

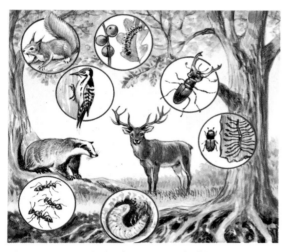

Du sol jusqu'à la plus haute branche...

chaque étage de la forêt a ses habitants

La forêt a des étages, un peu comme une maison. Au rez-de-chaussée, s'étend le sol, dans lequel s'enfoncent toutes les racines. Le premier étage est couvert par les feuilles mortes sur lesquelles nous marchons, le deuxième par les mousses et les champignons. Pour atteindre le troisième, il faut commencer à grimper vers les herbes et les fougères. Au quatrième, se dressent les arbustes et les jeunes arbres qui commencent à pousser. Au cinquième étage enfin, nous voici tout en haut, avec les grands arbres. Et comme dans les maisons, à chaque étage il y a des habitants différents.

Y a-t-il des animaux invisibles ?

En creusant dans la litière, tu déranges, sans t'en rendre compte, des millions d'êtres invisibles. Ils sont si petits que tu ne peux pas les voir. Les savants les appellent des bactéries. Ces microbes n'ont ni pattes, ni corps, ni tête. Certains animaux, minuscules, sont pourtant visibles avec une loupe. Tous passent leur vie à manger les feuilles et les animaux morts qui sont sur le sol. Ils transforment peu à peu la litière en cette couche noire, l'humus. Celui-ci renferme aussi des champignons microscopiques qui font moisir les feuilles.

Qu'est-ce que la litière ?

La litière de la forêt, c'est l'épais tapis de feuilles mortes qui recouvre le sol. Chaque automne, les arbres feuillus perdent leurs feuilles. Comme elles ne sont pas ramassées, elles s'empilent et forment un matelas. Si tu le soulèves, tu trouveras dessous les feuilles des années précédentes, déjà toutes noires et mélangées à des bouts de bois pourris. Cette couche s'appelle l'humus. En grattant encore plus profondément, tu découvriras le sol lui-même, formé de grains de terre.

Toutes les feuilles mortes du sous-bois...

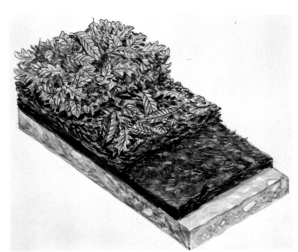

forment un épais matelas

Sous son microscope, le biologiste...

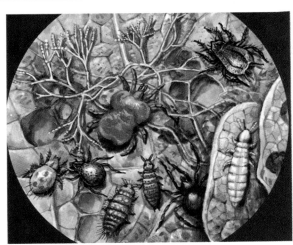

découvre de minuscules animaux

Des milliers de microbes et de petits animaux nettoient sans cesse le sol des forêts

De nombreuses larves vivent dans le bois

Les adultes en sortiront plus tard

Pourquoi certains insectes pondent-ils dans le bois mort ?

Quand les petits insectes sortent de leur œuf, ils doivent attendre longtemps avant de devenir adultes. D'abord, ils restent en larves. Celles-ci ne ressemblent pas du tout à leurs parents et ne vivent pas comme eux. De nombreuses larves d'insectes ne se nourrissent que de bois. Voilà pourquoi les mères installent leurs œufs sur du bois. Quand ils écloront, les petits trouveront des « biberons » tout prêts. Ils n'auront plus qu'à se nourrir. La larve du capricorne vit ainsi 3 ou 4 ans dans les troncs des vieux chênes, où elle creuse des galeries.

Qui nettoie les forêts ?

Une forêt devient vite impénétrable si elle n'est pas nettoyée. Les forestiers font un gros travail de déblayage. Mais les tonnes de feuilles mortes qui s'entassent chaque année et les petites branches qui tombent par terre disparaissent lentement. Elle sont détruites par les microbes et les champignons qui vivent dans le sol. Sous nos pieds, sans bruit, des milliers d'insectes, des mille-pattes, des vers grignotent, rongent, creusent, croquent. Ils débarrassent les forêts de leurs débris et, en bougeant sans cesse, ils remuent et aèrent le sol.

Qui sont les termites soldats ?

Les termites de nos régions vivent cachés dans les vieux troncs. Aveugles de naissance, ils se nourrissent de bois et s'installent parfois dans les poutres des maisons, où ils font des ravages. Comme les abeilles et les fourmis, ils forment des sociétés très organisées, défendues par les termites soldats. Cuirassés et armés de puissantes mandibules, ils attaquent les ennemis en crachant une sorte de venin. Dans les forêts tropicales, les colonies de termites peuvent être très importantes. Elles construisent de véritables forteresses de terre, plus hautes qu'un homme.

Les termites dévorent bois et papier

Les termites soldats repoussent les attaquants

Comment les fourmis construisent-elles leur fourmilière ?

Au début, la fourmilière n'est qu'un trou minuscule dans la terre. Les fourmis, de plus en plus nombreuses, se retrouvent vite à l'étroit. Elles commencent à creuser des chambres, reliées par des couloirs, des galeries. Elles aménagent ainsi peu à peu une ville souterraine, dont elles consolident les murs avec une sorte de ciment de terre et de salive. Puis elles recouvrent les entrées de cette ville avec des brindilles, des aiguilles de sapin ou de pin, des feuilles, qu'elles portent, tirent ou traînent sur les chemins. Bientôt, un monticule se forme : c'est la fourmilière.

Comment est-ce, dans une fourmilière ?

Sur le sol de la forêt, un tas arrondi de brindilles est pour les fourmis une bonne protection contre le froid et l'humidité. Bien exposé aux rayons du soleil, le « toit » de leur fourmilière emmagasine de la chaleur. A l'intérieur, s'empilent plusieurs étages de chambres et de galeries. Les fourmis ouvrières s'agitent sans cesse, nettoient, creusent, consolident, transportent des aliments, nourrissent les larves et s'en occupent vraiment. Ainsi, quand il pleut ou qu'il fait froid, elles les descendent plus profondément dans la terre, et ne les remontent que lorsque le beau temps revient.

Existe-t-il vraiment des fourmis volantes ?

En été ou au début de l'automne, la reine des fourmis pond des œufs qui donneront naissance à des ouvrières, sans ailes, et à des mâles et des femelles, avec des ailes. Un jour, les fourmis volantes quittent toutes ensemble les fourmilières et, par milliers, vont se marier dans les airs. Puis elles reviennent à terre. Les mâles meurent, car ils ne savent pas se nourrir. Les femelles, devenues des reines, se débarrassent de leurs ailes et cherchent un endroit pour pondre. Elles fondent ainsi une nouvelle fourmilière. En réalité, les ailes des fourmis, c'est leur costume de mariés.

Les fourmis ont beau être toutes petites,...

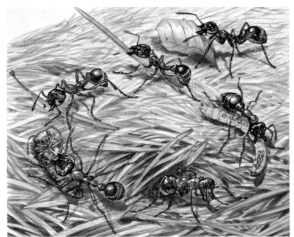

elles construisent de grandes maisons

A l'intérieur d'une fourmilière, les fourmis...

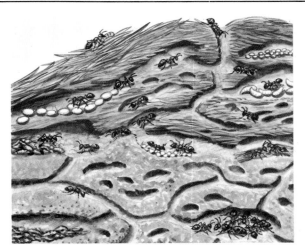

s'activent dans de longues galeries

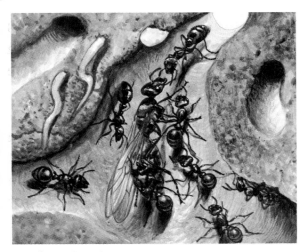

Les fourmis volantes partent...

fonder de nouvelles fourmilières

Combien de pattes ont les punaises des bois ?

Dans la nature, il existe des milliers d'insectes. Les punaises des bois, qui sentent mauvais si on les écrase, en font partie. Comme tous les insectes, elles ont six pattes. On les appelle parfois les gendarmes, parce qu'elles avancent souvent deux par deux. Elles aiment se promener parmi les feuilles, mais certaines se rassemblent aussi par centaines au pied d'arbres bien exposés au soleil, car elles sont attirées par la lumière. Comme ces punaises couleur de feu, beaucoup d'animaux vivent en groupe, alors que d'autres ne supportent que la solitude et n'aiment pas être dérangés.

Les punaises des bois ont six pattes

Les punaises de feu aiment le soleil

Les punaises couvent-elles leurs œufs ?

Sur une petite feuille de bouleau, une punaise a pondu ses œufs. Elle s'est installée sur eux, comme une poule qui couve. Pour les petits poussins, la chaleur de leur mère est indispensable. Mais pour les

La punaise protège ses œufs

Y a-t-il beaucoup d'araignées dans le sol des forêts ?

Pour les araignées, le sol de la forêt est un véritable placard à provisions. Il y a tant de petits animaux à manger qu'elles s'y installent en grand nombre. Certaines ne tissent pas de toile, mais creusent une petite maison dans la terre, sous des pierres. Elles tapissent l'intérieur de soie et recouvrent l'entrée de mousse. Elles peuvent ainsi, sans quitter leur maison, piéger les proies qui passent au-dessus. D'autres araignées s'installent dans des terriers déjà construits par d'autres bêtes et se contentent d'arranger l'intérieur.

Les araignées tissent leur toile

bébés punaises, il s'agit simplement d'une protection contre les animaux qui voudraient les manger. Si une fourmi approche, la punaise du bouleau commence à battre des ailes. Elle répand ainsi une mauvaise odeur qui fait fuir l'ennemi.

Elle défend ensuite ses larves

Certaines installent un petit nid

Pourquoi les cloportes se cachent-ils sous les pierres ?

Les cloportes sont de la même famille que les crevettes. Ce sont des crustacés. Ils ne peuvent vivre que dans les coins humides de la forêt, sous les pierres ou les vieux troncs d'arbres, où ils aiment se glisser. Si tu places un cloporte dans un endroit sec, il se mettra en boule ou remuera dans tous les sens comme s'il étouffait. Imagine qu'on te tienne la tête sous l'eau. Ne pouvant plus respirer, tu t'agiterais jusqu'à ce que tu aies à nouveau de l'air. Le cloporte fait exactement la même chose, mais pour retrouver l'humidité.

Qu'est-ce qu'un coléoptère ?

C'est un insecte qui a deux paires d'ailes placées l'une au-dessus de l'autre. En grec ancien, *koleos* veut dire « étui », et *pteron,* « ailes ». Un coléoptère a donc un étui pour ses ailes. Celles du dessus sont durcies ; elles protègent celles du dessous, très fines, qui sont soigneusement repliées quand l'insecte ne vole pas. Il existe plus de 300 000 variétés de coléoptères. Parmi celles-ci, tu connais sûrement la coccinelle, le hanneton ou le taupin.

Le mille-pattes est-il un chasseur ?

En grattant un peu les feuilles ou la terre de la forêt, tu pourras trouver un mille-pattes. Son vrai nom est la scolopendre. Elle n'a en réalité que quelques dizaines de pattes. Mais attention, elle fait mal quand elle mord. Elle n'arrête pas de courir, à la poursuite des petits vers et des insectes qu'elle mange. Un animal qui en chasse d'autres pour se nourrir s'appelle un prédateur, et la scolopendre en est un. Il en existe beaucoup d'autres. Ils s'attaquent aux petites bêtes qui dévorent les plantes et les empêchent de pousser normalement.

A l'ombre humide des pierres,...

tu découvriras des cloportes

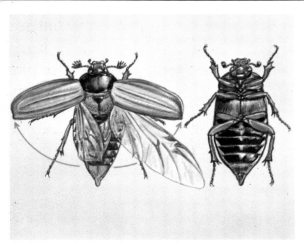

Les coléoptères ont des ailes...

qu'ils replient sous une paire de volets

Les étranges mille-pattes...

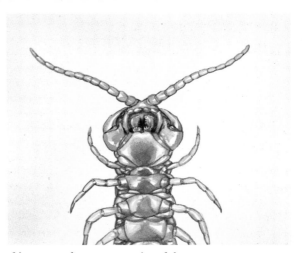

dévorent plantes et petites bêtes

Les vers blancs mangent-ils les racines ?

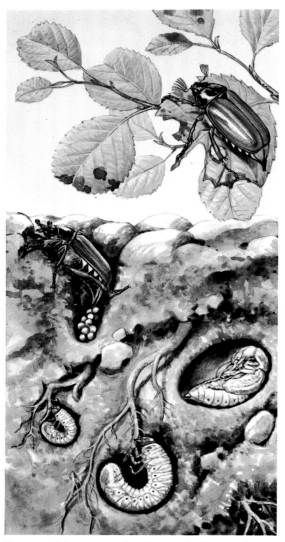

Les vers blancs sont les larves des hannetons

Le sol est l'étage des racines. Grâce à elles, les arbres s'accrochent dans la terre et y prennent l'eau et les aliments dont ils ont besoin pour pousser. Certains animaux se nourrissent de racines. Ainsi, les larves des hannetons, que l'on appelle les vers blancs, les croquent pendant trois ans, le temps de devenir adultes. A ce moment, les insectes sortent de terre et vont dévorer les feuilles des arbres. Ce serait une véritable catastrophe si les sangliers et les taupes n'aimaient pas autant les vers blancs. Ils réussissent à les déterrer et en mangent de grandes quantités.

Qui creuse des trous dans le sol de la forêt ?

Dans le sol de la forêt, il y a tant d'insectes à croquer que les animaux qui s'en nourrissent n'hésitent pas à creuser des trous pour les attraper. Mais surtout, la forêt est un refuge. De nombreux mammifères y creusent des terriers, parfois très profondément. Ils y vivent toute l'année et sortent souvent pour chercher leur nourriture. Certains y entassent des provisions, et d'autres y mettent au monde leurs petits. Pense aux rats, aux mulots, aux taupes, aux hérissons, mais aussi aux lièvres, aux renards et aux blaireaux.

Est-il vrai qu'un insecte fait le saut périlleux ?

Le taupin, qui n'a rien à voir avec la taupe, est un insecte. Ses larves sont des croqueuses de racines. On en trouve beaucoup dans les jardins et aussi dans les forêts de chênes. Le taupin adulte a des pattes si courtes qu'il a du mal à se retourner quand il est sur le dos. Mais il a un « truc » qui fait de lui un champion d'athlétisme : une sorte de ressort qui le lance en l'air et lui permet de se remettre dans le bon sens. Ce saut périlleux est presque parfait.

Le taupin et sa larve

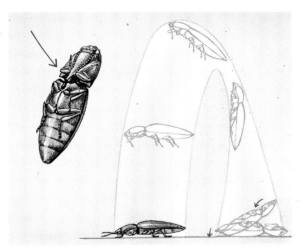

Adulte, il sait faire le saut périlleux

Lapins sauvages...

et petits rongeurs...

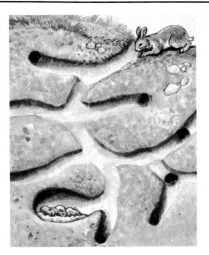

creusent de profonds terriers

La salamandre habite-t-elle dans un terrier ?

La salamandre vient de sortir d'un terrier. Pourtant, ce n'est pas le sien. Car elle vit dans les trous abandonnés par d'autres animaux. Elle est très belle, avec sa robe noire et jaune, mais elle a une peau venimeuse pour ses ennemis. En revanche, elle est absolument inoffensive pour nous, et elle se laisse même apprivoiser. Elle se régale des limaces et des escargots qu'elle vient chercher sur les champignons au pied des arbres. Comme ses cousins les tritons et les grenouilles, elle pond ses œufs dans l'eau.

Est-il vrai qu'une grenouille grimpe aux arbres ?

La rainette est vraiment la reine des bois. Cette jolie grenouille, guère plus grosse qu'une noix, change la couleur de sa robe suivant l'endroit où elle se trouve, pour se cacher. C'est son habit vert qui lui va le mieux. Ses doigts se terminent par des ventouses collantes. Elles lui permettent de grimper aux arbres et de s'accrocher aux feuilles. Dès qu'un insecte passe à sa portée, elle projette sa langue hors de sa bouche, et le happe en une seconde.

La limace mange-t-elle des champignons vénéneux ?

Chaque année, des gens s'empoisonnent avec des champignons vénéneux. Croyant les connaître, ils n'ont même pas vérifié s'ils étaient sans danger. Ou bien ils ont pensé que si les limaces les mangeaient, ils pouvaient bien en faire autant. C'est une grave erreur. Car le poison des champignons vénéneux ne fait absolument rien aux limaces : elles peuvent en dévorer autant qu'elles veulent, même ceux qui sont très dangereux pour nous. Ne mange jamais un champignon que tu ne connais pas, même s'il te paraît très joli ou s'il a une odeur très parfumée.

Tu peux essayer d'élever…

une salamandre jaune et noire

La rainette attrape les insectes avec sa langue

Elle coasse en gonflant son cou

En se promenant dans le sous-bois,…

la limace peut manger les champignons vénéneux

Dans les bois

Chat sauvage

Muscardins

Bécas

Loup

Sanglier

Biche

Faons

Quelles plantes poussent à l'étage des herbes ?

Le sol de la forêt, au printemps, est merveilleux. Les arbres ne cachent pas encore le ciel et les « herbes » des bois en profitent pour sortir et fleurir. C'est l'époque des jonquilles, du muguet, mais elle ne dure pas longtemps.

D'autres plantes, qui ne font pas de fleurs, déroulent simplement leurs feuilles. Elles aiment l'ombre du sous-bois et grandissent, cachant un peu le tapis de débris morts. Les plus tendres, les plus petites, les plus décoratives sont les mousses, même si elles ne fleurissent jamais. Et en automne, les champignons nous offrent leurs magnifiques couleurs.

Parmi les herbes, poussent fleurs et fougères

La couleuvre n'est pas très dangereuse

La mousse envahit aussi le sous-bois

Comment s'appellent les serpents qui vivent dans nos forêts ?

Dans nos forêts, au milieu des herbes et des feuilles mortes, ne vivent que des vipères et des couleuvres. On les confond souvent. La couleuvre à collier, la plus grande, est inoffensive. Elle aime les endroits

Les lézards et les serpents pondent-ils des œufs ?

Dans le ventre de leur mère, les petits lézards sont dans des œufs. Mais dès qu'ils sont pondus, ils en sortent immédiatement. Certains naissent même déjà tout vivants. Les autres éclosent juste après la ponte. Il se passe la même chose pour les petites vipères. Elles se développent aussi dans des œufs qui restent à l'intérieur du corps de leur mère. Les couleuvres à collier, elles, grandissent dans des œufs qui seront pondus un ou deux mois avant d'éclore, et laissés dans un endroit chaud et humide.

Le venin de la vipère peut rendre très malade

Les lézards naissent parfois tout formés

humides. La coronelle a presque les mêmes couleurs et les mêmes dessins que la vipère, mais elle n'est pas dangereuse du tout. Les vraies vipères, elles, sont venimeuses. Elles ne piquent pas, elles mordent. Il faut alors se faire soigner rapidement. Mais elles sont très peureuses et se cachent au moindre bruit. Quand elles attaquent, c'est pour se défendre.

Les petites couleuvres sortent des œufs

Où est le nid du rouge-gorge ?

Le rouge-gorge supporte bien le froid

On le reconnaît à sa gorge rouge

Chez nous, on peut voir le rouge-gorge même en hiver. Il reste actif pendant la saison froide, alors que beaucoup d'autres oiseaux sont partis vers des pays plus chauds. Pour se protéger, le rouge-gorge gonfle son plumage, qui lui fait alors un anorak douillet. Il vole dans les arbustes, sautille à terre et fait son nid sous les racines des arbres, au pied des buissons ou dans des trous, mais pas dans les branches. Il s'approche souvent des maisons, où il espère trouver quelque chose à manger. Ce n'est pas toujours le même que tu vois : les rouges-gorges se ressemblent tous !

Où dort le faisan ?

Les journées sont fatigantes pour les animaux de la forêt qui passent leur temps à chercher leur nourriture. Le soir venu, les oiseaux de jour vont se coucher. Le faisan, qui est resté des heures à terre, picorant graines et insectes, regagne sa branche sur laquelle il s'endort. A l'aube, reposé, il redescend et lance un véritable coup de trompette. Il avertit ainsi les autres faisans mâles, qui doivent s'éloigner. Comme lui, tous les oiseaux dorment. Ceux qui vivent la nuit se reposent le jour. Il existe même dans certains arbres des dortoirs d'oiseaux !

Y a-t-il des oiseaux qu'on ne voit pas ?

Dans la forêt, tu pourrais passer à un mètre d'une bécasse, sans la voir. Pourtant, c'est un gros oiseau ! En réalité, ses belles plumes rousses et brunes sont exactement de la même couleur que les feuilles d'automne. Invisible et immobile, elle est bien camouflée pour couver ses œufs sans être dérangée. Mais elle veille. Elle voit partout, même derrière elle, car ses yeux sont situés très haut et très en arrière de sa tête. Pas un ennemi n'échappe à son regard, ni un insecte... à son bec.

La bécasse se cache dans les feuilles

Elle voit tout autour d'elle

Le couple de faisans dort dans les arbres

Au matin, le mâle trompette dans la campagne

Est-il vrai que le muscardin a deux maisons ?

Le muscardin est un petit rongeur qui a en effet deux maisons en forêt : une pour l'été, une pour l'hiver. L'hiver est dur pour les petits animaux. A cette saison, le muscardin installe son nid d'hiver dans le trou d'un arbre et s'endort en attendant les beaux jours. Au printemps, il sort et commence à construire sa jolie maison d'été. Il choisit un endroit en hauteur, dans un buisson, puis ramasse des feuilles, des morceaux d'écorce, de l'herbe séchée, et fabrique un nid tout rond, suspendu à une brindille. Enfin, il en tapisse l'intérieur pour le rendre très confortable.

Comment vivent les blaireaux ?

Le blaireau a un doux pelage gris argenté, avec une tête blanche rayée de noir. Avec son museau pointu terminé par une grosse truffe, il renifle sans arrêt. Comme beaucoup de mammifères, les petits blaireaux restent avec leur mère longtemps après leur naissance. Il y a tant de choses à apprendre avant de savoir se débrouiller seul : trouver sa nourriture, et ils mangent de tout, creuser un terrier, échapper aux dangers. Les blaireaux ont une odeur forte ; pourtant, ils sont très propres et passent beaucoup de temps à faire leur toilette et leur ménage.

Le chat sauvage peut-il s'apprivoiser ?

Dans certaines forêts d'Europe, vivent de magnifiques chats sauvages. Leur corps musclé mesure plus d'un mètre de long, avec une queue touffue, rayée de noir. Ces animaux, très solitaires, n'apprécient aucune compagnie, et surtout pas celle des hommes, qui les ont longtemps chassés. On ne peut absolument pas les apprivoiser. Ils deviennent méchants si on les met en cage. Ce sont des fauves, comme le tigre ou le lion. Ils aiment avant tout se poster en haut des arbres pour dormir ou guetter leurs proies. Ils chassent surtout le soir, quand ils savent qu'ils ne seront pas dérangés.

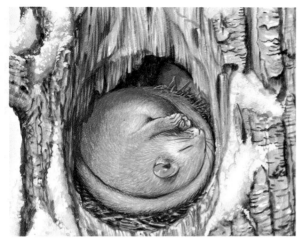

En hiver, le muscardin s'endort dans un arbre

En été, il construit un nid

Les blaireaux ont un beau pelage...

mais dégagent une odeur très forte

Le chat sauvage...

a de nombreux petits...

et les défend farouchement

Qu'est-ce que le territoire d'un renard ?

Le territoire d'un renard, c'est la partie de bois et de champs où il vit en solitaire. Pour empêcher les autres renards de venir, il marque son domaine en laissant son odeur au pied des arbres et des buissons. Chaque renard a ainsi son terri-toire. Il le connaît parfaitement. C'est là qu'il chasse, déniche les oiseaux, surprend les lapins et les mulots. A l'automne, il y trouve aussi des fruits. Dès que les renar-deaux sont assez grands pour vivre seuls, ils partent à leur tour cher-cher un territoire et le marquer.

Le renard marque son territoire

Les promeneurs marchent à la queue leu leu...

Les loups avancent-ils vraiment « à la queue leu leu » ?

Se mettre à la queue leu leu, c'est se placer en rang les uns derrière les autres, comme le font les loups, que l'on appelait autrefois *leus*. Quand la meute se déplace sur son territoire, les loups se disposent

Les renardeaux sortent de leur abri

Où se trouve la tanière de l'ours ?

L'ours brun vit dans les forêts sauvages des montagnes. Il est impressionnant quand il se dresse sur ses pattes arrière, et il lui faut une grande maison. Il installe sa tanière au milieu des rochers, dans un trou profond, une grotte ou une caverne. Mais il peut aussi l'aménager dans un arbre abattu par le vent ou même en construire une avec des branches, comme une cabane. L'ours mange de tout, et il aime surtout le miel, les myrtilles et les framboises. Sa gourmandise fait qu'il grossit énormément. En hiver, bien à l'abri, il vivra sur ses réserves de graisse.

comme les loups dans les montagnes

Les ours aiment beaucoup jouer

ainsi, la queue du premier touchant la tête du second, la queue du second touchant la tête du troisième, et ainsi de suite. Ces animaux communiquent d'ailleurs beaucoup entre eux grâce à leur queue. En plus, on raconte que chaque loup pose ses pattes exactement au même endroit que celui qui marche devant lui, pour ne faire qu'une seule trace.

La mère s'occupe de son petit

Les sangliers vivent-ils en troupeaux ?

Au printemps, la femelle sanglier met au monde une dizaine de marcassins, tout rayés, pour bien se cacher au milieu des feuilles. Elle les garde longtemps avec elle. Plusieurs femelles et leurs petits se regroupent pour former un troupeau, une compagnie. Quand ils auront 4 ans, les mâles partiront vivre seuls. C'est pourquoi on les appelle des solitaires. Ils ne retrouvent les femelles qu'une fois par an, pour faire des petits. Les sangliers sont des animaux très résistants, capables de parcourir des distances énormes à la recherche de leur nourriture.

Que cherchent les sangliers sous la terre ?

Après le passage d'un groupe de sangliers, la terre est retournée, les mottes sont souvent arrachées. Avec leur groin, les sangliers creusent des trous profonds, arrachent les tubercules, déterrent les racines, les bulbes de jacinthe, les fruits enfoncés, comme les glands, les châtaignes, les marrons. Ils cherchent aussi les cachettes des rongeurs pour engloutir leurs provisions de grains et parfois même manger le mulot ou le lapin qui habite là. Leur nourriture, très variée, leur permet de bien résister à l'hiver.

Est-il vrai qu'il y a encore des bisons dans nos forêts ?

En Europe, les bisons sauvages ont presque tous disparu. Pourtant, grâce à des animaux qui vivaient dans des réserves, on a pu recréer un petit troupeau dans une forêt de Pologne. Les bisons, qui peuvent peser 1 000 kg, vivent en troupeaux séparés, les mâles d'un côté, les femelles de l'autre. Ils ne se rejoignent que pour faire leurs petits. Ces animaux adorent se rouler dans la poussière. En se frottant ainsi sur le sol, ils se débarrassent de toutes les petites bêtes qui les grattent. C'est pour eux une sorte de bain !

Les petits marcassins sont tout rayés

Les sangliers aiment se baigner

Les sangliers aiment fouiller la terre avec leur groin

En Pologne, vivent à nouveau quelques troupeaux de bisons

Le grand cerf brame

Pourquoi les cerfs crient-ils très fort ?

En septembre, au lever du soleil, au cœur de la forêt, tu peux entendre un cri long et profond, qui ressemble à la fois au meuglement du taureau et au rugissement du lion. Le bruit est si fort qu'on l'entend parfois à 3 km de là. Ce sont les cerfs qui appellent les biches pour créer une famille. On dit qu'ils brament. Mais les mâles vont d'abord se battre pour la conquête des femelles. Les combats ont lieu dans une clairière. Les cerfs s'affrontent en mêlant leurs bois et en lançant des coups de sabots. Le vainquer du combat sera le père des petits faons qui naîtront au mois de juin.

Les mâles combattent

A quoi servent les taches blanches des faons ?

Pour un faon qui vient de naître, la forêt est dangereuse, pleine d'animaux qui le guettent pour le dévorer. Mais la nature lui a donné des taches blanches, comme celles que dessinent les rayons de soleil quand ils traversent le feuillage.

Ainsi, le faon passe inaperçu. En plus, il n'a pas encore d'odeur. Il n'attire pas les carnivores, qui ont un odorat très sensible. Ainsi camouflé, le faon sera protégé pendant les premiers mois de sa vie, le temps pour lui d'apprendre à gambader et de savoir s'enfuir devant le danger.

Quelle est la différence entre une chevrette et une biche ?

La chevrette est la femelle du chevreuil, la biche, celle du cerf. Le cerf et le chevreuil, qui est beaucoup plus petit, appartiennent à la même famille, celle des animaux à bois. Ils vivent tous les deux en solitaire dans la forêt, tandis que les chevrettes, et plus loin les biches, forment avec les jeunes de petits groupes, toujours dirigés et surveillés par une vieille femelle. Au printemps, les mères s'isolent dans des endroits touffus de la forêt pour mettre au monde un ou deux petits.

Un couple de chevreuils

On peut mouler les empreintes de leurs pas

Dans l'ombre des sous-bois, les taches des faons leur permettent de se cacher

Où vivent les élans ?

Près du pôle Nord, s'étendent des forêts immenses, pleines de marécages quand la neige de l'hiver fond. Les arbres ont « les pieds dans l'eau » et de nombreuses plantes aquatiques y poussent. C'est là que vivent les élans, ou orignaux, pendant une bonne partie de l'année. Quand l'hiver arrive, le gel rend le sol très glissant et ces animaux descendent plus au sud. Les élans mâles portent des bois qui peuvent peser 20 kg et s'étendre sur 2 m de large. Ils mangent toutes sortes de plantes, mais surtout celles qui poussent dans l'eau des marécages.

Les femelles rennes ont-elles aussi des bois ?

Les femelles des cerfs, des chevreuils, des élans n'ont pas de bois. Seules celles des rennes en portent. Les mâles, eux, en ont toujours. Mais ils les perdent en hiver, avant que d'autres, nouveaux, leur poussent au printemps suivant. Chaque année, ils ont des pointes en plus. C'est toujours l'animal qui a les plus grands bois qui devient le chef du troupeau. Les rennes vivent en bandes immenses, dans les pays très froids. Ils marchent sur la neige sans difficulté et nagent parfaitement dans les eaux glacées.

Pourquoi certains animaux changent-ils de couleur ?

La petite hermine, longue d'environ 40 cm, a une robe brune l'été, et toute blanche l'hiver. Seul le bout de sa queue reste toujours noir. Si elle change de couleur en hiver, c'est pour se confondre avec la neige. Ainsi, ses ennemis ne la voient pas. L'hermine est très prudente, mais elle chasse de façon redoutable. Elle attaque des proies souvent bien plus grosses qu'elle. Elle va les chercher partout, dans les arbres, dans les galeries du sol, et même dans l'eau. Le lièvre polaire ou le lagopède des montagnes deviennent aussi tout blancs en hiver, pour mieux se cacher.

Dans les grandes forêts du Canada,...

les élans vivent en famille

Un troupeau de rennes

Les femelles, comme les mâles, portent des bois

Le pelage de l'hermine devient blanc en hiver

En toute saison, elle chasse pour se nourrir

Dans les arbres

Cerf-volant

Sittelle

Pic épeiche

Chouette

Écureuil

Loriot

Nid de chenilles processionnaires

Geai

Bec-croisé

Mésange

Épervier

Qui fait des trous dans les feuilles et les champignons ?

Les vers des champignons sont des larves

Certains insectes pondent dans les feuilles

Si tu regardes bien les feuilles des arbres, tu y verras parfois des dessins blancs, comme de la dentelle. Ce sont des galeries minuscules creusées par de petites chenilles aplaties, qui mangent l'épaisseur des feuilles. Dans les champignons également, il n'est pas rare de trouver une foule de petits vers blancs. Ils ont percé leurs galeries jusqu'au cœur des pieds et des chapeaux. Les plantes et les animaux des forêts vivent vraiment ensemble.

Est-il vrai que certains papillons se cachent ?

Les papillons sont de toutes les couleurs. Pour nous, elles sont magnifiques, mais pour eux, elles sont dangereuses. Car les oiseaux, qui les voient bien, les attrapent en vol et n'en font qu'une bouchée. Pour se cacher, certains papillons ressemblent à des écorces. Leurs ailes sont exactement de la même couleur que le tronc sur lequel ils vivent. Grises s'il est gris, noir et blanc s'il est rayé. Le tour est joué. Beaucoup de troncs sont recouverts d'une plante grisâtre, le lichen. Alors, quelques papillons ont les couleurs du lichen.

Pourquoi y a-t-il des boules sur les feuilles de chêne ?

Les chênes font des fruits, les glands, qui mûrissent et tombent au début de l'automne. Mais les boules de couleur que l'on voit parfois sous les feuilles ne sont pas des fruits. Ce sont des galles. Cela arrive lorsqu'un insecte, le cynips, voisin de la guêpe, vient les piquer pour y pondre ses œufs. Le chêne commence alors à fabriquer ces boules qui ressemblent à du raisin, à l'intérieur desquelles les larves du cynips se développent. La galle grossit jusqu'à ce que l'insecte devienne adulte et le quitte. Les hêtres aussi ont des galles, données par des pucerons.

Dans les galles des feuilles de chêne, des insectes grandissent   *Les glands, les fruits du chêne*

Certains papillons ont des ailes qui ressemblent à des écorces ou à des feuilles

Qu'est-ce qu'un cerf-volant ?

Il est noir, il vole, mais il n'est pas retenu par une ficelle ! Le cerf-volant est un très bel insecte qui vit dans les forêts de chênes. Il a d'abord passé quelques années à l'état de larve dans un vieux tronc. Pour se nourrir, il suce la sève et la résine qui coulent des arbres blessés. Le cerf-volant doit son nom aux énormes mandibules que porte le mâle et qui ressemblent beaucoup aux bois du cerf. Ce sont des armes de combat menaçantes qu'il brandit lorsqu'il se bat avec un autre mâle pour conquérir les femelles.

Les mouches à scie coupent-elles vraiment le bois ?

Si tu entends dans la forêt le grincement d'une scie c'est peut-être la tronçonneuse d'un bûcheron. Ou bien, juste derrière toi, c'est le sirex géant. Il ressemble à un frelon et fait presque autant de bruit que lui. On l'appelle aussi « mouche à soie », car la femelle enfonce ses œufs dans les troncs et les branches, à l'aide d'une tige dentelée comme une scie. Mais elle ne scie pas vraiment ! Les larves qui sortent des œufs sont des dévoreuses de bois. Le sirex est impressionnant, mais tout à fait inoffensif : il ne pique pas.

Où vont les chenilles en file indienne ?

Dans les forêts de pins, on rencontre parfois des files de chenilles. Les unes derrière les autres, en procession, elles descendent le long des branches, traversent le chemin, et remontent sur le tronc d'un autre pin. Ces chenilles processionnaires sont des larves de papillons qui se nourrissent d'aiguilles de pin. Elles vivent dans un nid qu'elles ont elles-mêmes tissé. Pour ne pas se perdre quand elles vont chercher leur nourriture, elles tissent un fil de soie qui les relie à leur nid.

Le cerf-volant est un insecte impressionnant

Les mâles se battent entre eux

La mouche à scie pond sous l'écorce

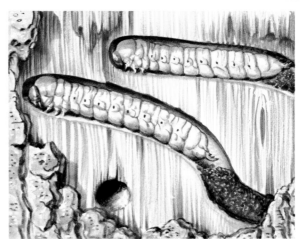

Les larves dévorent le bois

Les chenilles processionnaires quittent leur nid...

pour se nourrir et devenir papillons

Pourquoi les oiseaux chantent-ils ?

Quand on enregistre le chant des oiseaux,...

on peut écrire leur musique

A l'aube et au crépuscule, les concerts d'oiseaux sont magnifiques. Ce sont surtout les mâles qui chantent, et chaque chant veut dire quelque chose. Au printemps, l'oiseau appelle une compagne à tue-tête. Il choisit l'emplacement du nid en chantant. En le construisant, il chante à nouveau pour éloigner les autres oiseaux. Dès que les œufs sont pondus, il chante encore plus fort pour écarter le danger. Puis un jour, c'est le silence total. Il y a tant à faire pour nourrir les oisillons que les parents n'ont plus le temps de chanter. Mais on entend parfois les pépiements des nouveau-nés.

Quel est cet oiseau qui descend le long des arbres ?

Descendre la tête en bas, sans avoir le vertige ? La sittelle torchepot y arrive très bien, et c'est le seul oiseau de nos forêts qui sache le faire. Très à l'aise sur les troncs, elle avance vers le haut ou vers le bas avec autant d'agilité que toi quand tu marches sur le sol. En réalité, elle sautille en s'agrippant avec ses griffes, mais sans s'appuyer sur sa queue comme le font les autres oiseaux. Elle s'installe souvent dans le nid d'un pic, dont elle rétrécit l'entrée, trop grande pour elle, avec de la terre humide.

Pourquoi le pic tape-t-il les troncs avec son bec ?

Dans l'orchestre des oiseaux, le pic épeiche est le tambour. C'est en frappant les arbres avec son bec qu'il signale sa présence. Il repère aussi de cette façon les troncs creusés de galeries. S'ils sonnent creux, cela signifie peut-être qu'il y trou- vera des larves ou des insectes. Il tape alors encore plus fort pour faire un petit trou. Puis il y intro- duit sa longue langue gluante qui attrape ses proies et il lèche la sève qui coule. Le pic épeiche sait très bien décortiquer les pommes de pin. Il les coince dans une fente d'écorce et les tape pour faire sor- tir les pignons dont il raffole.

Pour se nourrir, le pic épeiche...

étire sa longue langue

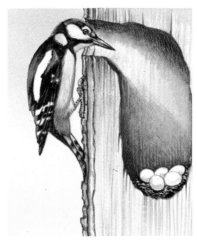
Il pond dans le trou d'un arbre

Les sittelles descendent la tête en bas

Elles arrangent l'entrée de leur nid

Un oiseau peut-il chasser en plein vol ?

Dans les grandes branches, si haut qu'on ne le voit pas, l'autour a installé un nid si grand que tu pourrais t'y allonger. Pour ce formidable oiseau chasseur, la cime des arbres est un poste d'observation idéal. Il voit tout ce qui passe au-dessous de lui. Lorsqu'il a repéré une palombe en vol, il quitte sa branche et fonce pour attraper sa proie sans qu'elle le voie venir. Il arrive derrière elle, par en dessous, et, au dernier moment, il lance les griffes en avant et la saisit en un instant.

Qui tisse des hamacs dans les arbres ?

Le nid du loriot est un petit hamac en herbes tressées accroché à la fourche de deux branches. Il se balance au rythme du vent et les oisillons sont ainsi doucement bercés pendant leur enfance... qui ne dure que 15 jours. Les parents, eux, peuvent très bien dormir sur une branche. Le mâle est jaune d'or, la femelle verte. Tous leurs cousins habitent l'Afrique. Ceux qui vivent dans nos régions retournent là-bas chaque année, pour passer l'hiver. Ils reviennent chez nous avant la saison des cerises, qu'ils dévorent en grande quantité.

Pourquoi la mésange charbonnière a-t-elle tant de petits ?

Souvent, les mésanges charbonnières mettent au monde 11 ou 12 petits. Pour s'occuper de cette famille affamée, les parents n'arrêtent pas. Ils font parfois 300 voyages par jour pour rapporter de la nourriture. Ils n'hésitent pas à aller chercher les chenilles sur les rameaux les plus fins. Mais beaucoup d'oisillons meurent avant la fin de l'année, souvent mangés par d'autres animaux, et les adultes ne deviennent jamais très âgés. Voilà pourquoi les mésanges font tant de petits. Les oiseaux qui vivent plus longtemps en ont généralement moins.

L'autour est un rapace

Il chasse en plein vol

Dans leur nid suspendu à la fourche d'un arbre, les petits loriots attendent la becquée

La mésange nourrit ses petits

Elle pond beaucoup d'œufs à la fois

Pourquoi la chouette fait-elle peur aux gens ?

La chouette dort dans un arbre

La nuit, elle sort pour chasser

A l'heure où tu t'endors, de nombreux animaux de la forêt commencent leur vie nocturne. La chouette hulotte sort alors de son trou pour aller chasser les petits rongeurs. Son cri, un long hululement, est très impressionnant dans le silence de la nuit, et certaines personnes en ont peur. Avec ses grands yeux ronds qui regardent fixement, la chouette guette ses proies, mais aussi ses ennemis. Elle ne fabrique pas de nid. Elle s'installe dans le creux des arbres, et les forestiers laissent toujours quelques vieux troncs pour la protéger.

Où le coucou pond-il ses œufs ?

Le coucou ne fabrique pas de nid, et pond ses œufs un par un dans ceux des autres oiseaux. La femelle choisit un nid où se trouvent des œufs qui ressemblent aux siens. Elle s'en approche. Aussitôt, les propriétaires s'enfuient. Elle se dépêche de faire tomber un de leurs œufs et dépose le sien à la place. Quand les parents reviennent, ils ne s'aperçoivent de rien. Ils couvent tous les œufs de la même façon. Quand le petit coucou naît, ils le nourrissent comme les autres. Souvent même, dès qu'il devient plus grand, le coucou pousse carrément les autres oisillons hors du nid.

Est-il vrai que le geai pille les nids ?

Le geai est l'ami des forestiers. Quand les glands tombent des arbres à l'automne, il en avale un très grand nombre. Puis il les recrache et les enfonce dans le sol pour les cacher. Il les dégustera un peu plus tard. Mais il ne les retrouve pas toujours. Et les glands qu'il a plantés deviendront des chênes. Quand le geai ne trouve pas sa nourriture préférée, il va chercher ailleurs, et n'hésite pas à piller les nids. Il vole les œufs et même les petits des autres oiseaux qu'il dévore ou donne à ses propres oisillons.

Le geai attrape des glands...

qu'il cache dans le sol

Il vole parfois des œufs

La femelle coucou fait de la place pour son petit... qui sera nourri par un autre oiseau

A quoi ressemble le bec-croisé ?

Comme son nom l'indique, le bec-croisé a un bec dont les deux parties se croisent. Tu pourrais croire qu'il se ferme mal. Pourtant, il devient ainsi une pince très perfectionnée pour décortiquer les pommes de pin et en sortir les pignons.

Certains becs sont croisés à droite, d'autres à gauche. Mais ils ne prennent cette curieuse forme que peu à peu, à mesure que les oiseaux grandissent. Le bec-croisé vit dans les forêts de pins ou de sapins, où il trouve facilement sa nourriture préférée.

Le bec-croisé a vraiment le bec croisé

Le hibou vient de capturer sa proie

Il décortique les pommes de pin

Pourquoi un hibou se déguise-t-il en branche ?

Le hibou moyen duc mène une vie discrète, sans se faire remarquer. Le meilleur moyen de passer inaperçu dans une forêt, c'est de se déguiser en branche. Il sait le faire. Il modifie la forme de son corps

Où vit le coq de bruyère ?

Le coq de bruyère s'appelle aussi le grand tétras. Il vit dans les forêts de haute montagne. L'été, il se nourrit d'insectes et de fruits. L'hiver, il reste perché dans les pins et les sapins pour manger des aiguilles. Il doit en engloutir beaucoup pour résister au froid. Comme les journées sont très courtes en cette saison, il passe tout son temps à avaler de la nourriture. Si tu te promènes à cette époque en montagne, ne fais pas de bruit. Car si le grand tétras a peur, il interrompt son repas. Et s'il arrête de manger trop souvent, il peut maigrir très vite et même en mourir.

Il s'étire pour mieux se cacher

Le coq de bruyère mange tout l'hiver

d'une façon incroyable. Il arrive à se transformer en bâton en s'étirant complètement. Puis il s'immobilise. La couleur de son plumage se confond parfaitement avec celle de la branche où il se trouve. Il reste ainsi longtemps, observant sans être vu.

Il parade pour attirer sa femelle

Peut-on voir des écureuils dans tous les arbres ?

L'univers de l'écureuil, ce sont les arbres. Grimper, sauter de branche en branche, cueillir un fruit… Il y a là-haut tant de cachettes, on y est si bien pour grignoter. Alors, l'écureuil y fait son nid ou s'installe dans celui d'un oiseau. Mais ce gourmand choisit les arbres dont il aime les fruits : les chênes pour les glands, les hêtres pour les faines, les noisetiers pour les noisettes et les pins pour les pommes de pin. Au pied des troncs, tu verras peut-être les restes de ses repas. Parfois aussi, il croque un œuf, un insecte ou un champignon.

L'écureuil a-t-il un ennemi ?

L'écureuil a un ennemi redoutable, la martre. Elle sait grimper aux arbres pour l'attraper. Comme la plupart des chasseurs, elle a une vue perçante. Dès qu'elle a repéré sa proie, elle la poursuit de branche en branche. L'écureuil fuit, montant toujours plus haut vers les rameaux très fins, là où la martre, plus lourde, risque de tomber. Pourtant, elle finit par le capturer au moment où il saute, ou plus tard dans son nid. D'un coup de dent, elle le tue et l'emporte vers son abri, qu'elle a aussi installé dans les arbres.

Existe-t-il encore des lynx ?

Les lynx ont été beaucoup chassés pour leur magnifique fourrure, et parce que l'on pensait qu'ils étaient dangereux. Aujourd'hui, on cherche à les protéger, et quelques-uns vivent dans certaines forêts de nos régions. Le lynx se reconnaît facilement. Ce grand chat beige souvent tacheté de noir a deux petites touffes de poils noirs sur des oreilles pointues. Mais il est difficile à observer, car il chasse la nuit. Il voit et entend très bien. Il a un territoire assez grand, qu'il défend farouchement. Si un chat sauvage rôde par là, le lynx l'attaque violemment.

Les écureuils aiment jouer dans les arbres...

et croquer des noisettes et des œufs

La martre guette l'écureuil

Elle le tue d'un coup de dents

A cause de sa magnifique fourrure,...

le lynx a été beaucoup chassé

Qu'appelle-t-on le gibier ?

Le gibier, c'est tous les animaux que chassent les hommes : cerfs, chevreuils, sangliers, lièvres, faisans, bécasses. Autrefois, leurs ennemis étaient les loups, les lynx et les chats sauvages. Mais ces prédateurs capturaient les proies faciles, celles qui étaient faibles, malades ou blessées. Aujourd'hui, les chasseurs préfèrent tuer les belles bêtes, et certaines espèces deviennent rares. Pour maintenir l'équilibre de la forêt, préserver le nombre des animaux et éviter leur disparition, il a fallu établir des règlements : on ne peut pas chasser n'importe où ni n'importe quand.

Qu'est-ce qu'un garde forestier ?

Les gardes forestiers travaillent en petites équipes. Ils prennent soin des arbres, les coupent, les plantent. Ils préparent aussi les sols, dégagent les fossés, surveillent les ruisseaux, évitent les incendies. En montagne, ils construisent des terrasses pour retenir les sols qui risquent d'être entraînés par les eaux ruisselantes. Ils font très attention à l'équilibre de la forêt. Quand les écorces des arbres sont rongées, par exemple, ils savent que les cerfs n'ont plus assez d'herbe et qu'ils risquent de mourir de faim.

Les forêts sont-elles très importantes pour nous ?

Quand tu pénètres dans la forêt, tu entres dans l'univers des bêtes, dans leur maison, dans leur garde-manger, rempli de nourriture. Ils sont là, à tes pieds, au-dessus de ta tête, sous la pierre où tu t'assieds, dans ce trou. Les animaux grignotent les feuilles, y pondent, s'y développent, les ramassent pour tapisser leur abri. Quand elles pourriront, elles nourriront d'autres animaux et d'autres plantes. Et pour nous, les hommes, la forêt est aussi très importante. Toutes ses plantes nous fournissent l'oxygène dont nous avons besoin pour respirer et vivre. Nous devons les protéger.

Le lapin s'enfuit devant les chasseurs

La meute de chiens poursuit le cerf

Les gardes forestiers surveillent la forêt et connaissent toutes ses plantes

Toutes les plantes des forêts aident à garder pur l'air que nous respirons

Dans les airs

Faucon

Papillon citron

Abeille

Canards sauvages

Moineau

Hirondelle

Libellule

Sphinx

Grand cuivré

Bourdon

Vulcain

Machaon

Mouche

Comment volent les insectes ?

En été, on entend partout des bourdonnements dans les champs. Mouches, abeilles, guêpes, bourdons, frelons, taons vont de fleur en fleur, en faisant le bruit de minuscules avions. En fait, les ailes des insectes fonctionnent comme les rames d'un bateau. Elles se lèvent et s'abaissent très vite, en dessinant dans l'air une sorte de huit. Celles de la mouche battent 200 à 300 fois par seconde. Pourtant, elle ne vole qu'à 10 kilomètres à l'heure. Mais d'autres insectes ne se servent pas de leurs ailes, ou même ils n'en ont pas. Ils se déplacent en marchant.

Où sont les ailes des coccinelles ?

Regarde une coccinelle sur ta main. Elle n'arrête pas d'aller dans tous les sens. Puis tout d'un coup, sa belle carapace rouge ou jaune tachetée de noir s'ouvre en deux et se soulève : deux minuscules ailes transparentes apparaissent. La coccinelle décolle, comme un drôle d'engin volant ! Lorsqu'elle se posera de nouveau, les deux étuis rouges ou jaunes à points noirs, les élytres, se refermeront. Elles protégeront les ailes si fragiles de cette petite bête qui, dit-on parfois, porte bonheur.

Comment les mouches peuvent-elles marcher la tête en bas ?

Même si tu es très fort en gymnastique, tu ne peux pas marcher à l'envers, la tête en bas. La mouche, elle, trottine sans difficulté sur les murs, les vitres ou les plafonds. Elle a un secret. Au bout de ses pattes, elle a des pelotes collantes. Des centaines, mais elles sont si petites que tu ne les vois pas. Quand elle avance, ces pelotes se fixent au mur ou au plafond comme des ventouses, et la mouche ne tombe pas. Pour plus de sécurité, elle a aussi de minuscules griffes très pointues qui s'accrochent solidement.

La plupart des insectes volent en agitant leurs ailes...   *grâce à des muscles*

Les élytres rouges et noires de la coccinelle...   *cachent et protègent ses ailes*

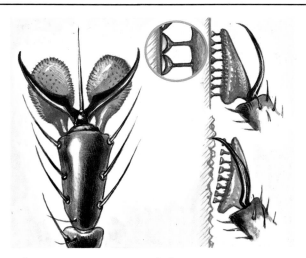

Les mouches peuvent marcher au plafond...   *grâce aux « ventouses » de leurs pattes*

Pourquoi les mouches sont-elles si difficiles à attraper ?

Si une mouche est dans ton dos, tu ne la vois pas. Il te faudrait des yeux derrière la tête ! Mais si toi, tu essaies de l'attraper, elle verra toujours arriver ta main. Tu auras beau ruser, elle s'échappera avant que tu aies pu la saisir, parce qu'elle a des yeux différents des nôtres. Ils sont formés de milliers de facettes. Chacune fonctionne comme un œil très simple. La mouche ne distingue pas comme nous les petits détails, mais elle voit partout.

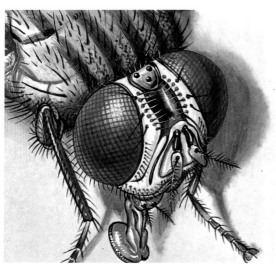

Les yeux de la mouche « voient » partout

Comment certains insectes font-ils pour piquer ?

Certains insectes se nourrissent de sang, la femelle moustique par exemple. C'est grâce à lui que ses œufs peuvent grossir. Voilà pourquoi elle te pique. Elle ne veut pas te faire de mal, même si tu trouves cela très désagréable ! En plantant

La femelle moustique se nourrit de sang

Où vivent les bébés moustiques ?

Un peu d'eau dans un fossé, quelques gouttes de pluie au creux d'une écorce, une flaque ou une mare : ce sont les endroits que les mères moustiques préfèrent pour pondre. Elles y déposent leurs œufs. Quand ils ont éclos, les petits se développent d'abord dans l'eau.

Mais ils viennent respirer à la surface. Ils se suspendent la tête en bas et absorbent l'air par une sorte de long tuyau, le syphon. Devenu adulte, le moustique s'envole. Il continue pourtant d'aimer les endroits humides, où l'on rencontre des nuées de moustiques.

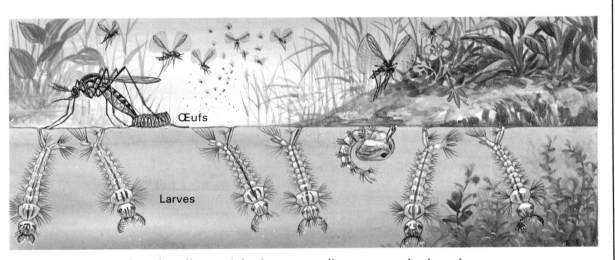

Œufs

Larves

Les moustiques pondent dans l'eau, où les larves grandissent avant de s'envoler

Dans la forêt, sous une moustiquaire

une sorte de seringue microscopique dans ta peau, elle y dépose un peu de sa salive, qui te donne envie de te gratter. D'autres insectes, comme l'abeille ou la guêpe, piquent aussi, mais seulement quand ils sont en danger. C'est de cette façon qu'ils essaient de se défendre, mais ils n'attaquent que si on les dérange. Leur dard est relié à un petit sac de venin, qui rend la piqûre douloureuse.

Est-il vrai que les abeilles ont une reine ?

Dans une ruche, il peut y avoir des milliers d'abeilles. 50 000, ou même plus. Toutes ont la même mère. On l'appelle la reine. C'est elle qui a pondu tous les œufs. Un à un, elle les a déposés dans de petits trous creusés dans la cire, les alvéoles. Puis les ouvrières et les mâles sont nés. La reine des abeilles est plus grande que les autres. Elle ne sort du nid que pour trouver un mâle, et passe ensuite toute sa vie à pondre. De temps en temps, les ouvrières reçoivent des sortes de messages, et c'est ainsi qu'elles savent ce qu'elles doivent faire.

Quelle est la différence entre une abeille et une guêpe ?

Tu apprendras facilement à reconnaître la guêpe. Jaune citron rayé de noir, elle a la taille très fine, une vraie « taille de guêpe ». L'abeille est plus poilue, dodue et plus foncée. Elles vivent toutes les deux en colonie, mais seule l'abeille fabrique du miel. Une abeille menacée pique, mais souvent, elle meurt aussitôt après. Son dard a la forme d'un harpon, avec des dents. Lorsqu'elle l'a enfoncé dans la peau, elle ne le ressort pas facilement et arrache une partie de son ventre. Alors elle meurt. La guêpe peut piquer plusieurs fois, parce qu'elle a un dard tout lisse.

Comment les guêpes et les frelons font-ils leur nid ?

Sait-tu que les guêpes et les frelons ont inventé le papier bien avant les hommes ? Il leur sert à faire leurs nids. Avec leur salive, ils mouillent de petits morceaux de bois, qu'ils mâchent jusqu'à ce qu'ils deviennent mous. C'est de la pâte à papier. Ils l'étirent ensuite avec leurs pattes, comme des maçons étalent le ciment avec une truelle. Ils construisent alors de petites loges pour les œufs, les unes à côté des autres, puis les unes au-dessus des autres. L'ensemble forme une sorte de balle en forme de poire suspendue à un arbre, un rocher, ou nichée dans le sol.

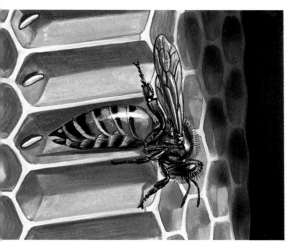

La reine pond dans les alvéoles

Des ouvrières, plus petites, l'entourent

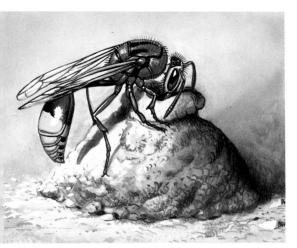

Une guêpe construit son nid

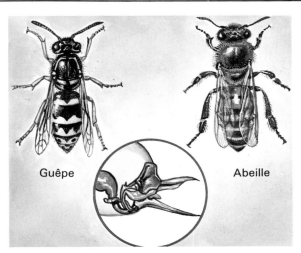

Guêpe

Abeille

Le dard d'une abeille

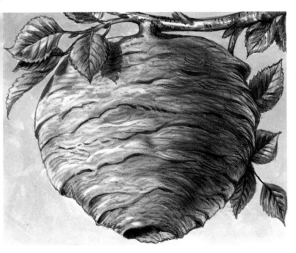

Un nid de guêpes

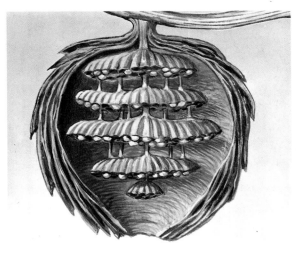

A l'intérieur, les loges pour les œufs

L'œuf devient une chenille, puis une chrysalide, enfin un papillon

Les papillons sentent avec leurs antennes...

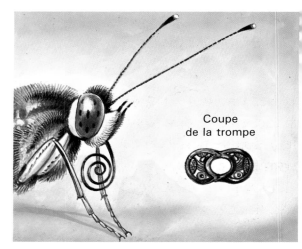

Coupe
de la trompe

et boivent le nectar à l'aide de leur trompe creuse

Les papillons sont-ils toujours très colorés ?

La déesse à ceinturon, l'échiquier, Robert le Diable sont des papillons. Rouges, tachetés de bleu, blancs rayés de noir, rose ou orange, ils ont souvent de superbes couleurs. Leurs ailes sont recouvertes de milliers d'écailles colorées, si petites qu'elles ressemblent à de la poussière, qui reste sur les doigts quand on les touche. Elles font jouer la lumière comme des rayons de soleil sur la surface de l'eau. Parfaitement rangées, elles forment souvent des dessins superbes. Les papillons de nuit, qui vivent quand il fait sombre, sont en général plus ternes.

Combien de temps vit une chenille ?

Toutes les chenilles sont des petits papillons. Il leur faut plusieurs mois pour devenir un magnifique insecte aux ailes colorées. La femelle papillon a pondu un œuf sous une feuille. Bientôt, la chenille en sort. Elle mange beaucoup et grandit rapidement. Après quelques semaines, elle se suspend la tête en bas et ne bouge plus, ne se nourrit plus. Un jour, sa peau se fend et une nouvelle enveloppe apparaît, la chrysalide. A l'intérieur, immobile, le papillon se forme. Quand il sera enfin prêt, il sortira et s'envolera.

A quoi servent les antennes des papillons ?

Les papillons passent leur temps à rechercher des fleurs pour boire leur délicieux nectar à l'aide de leur trompe creuse. Pour sentir les fleurs, les toucher et les reconnaître, ils se servent de leurs antennes. Ce drôle de nez est facile à bouger, à glisser dans les pétales et à plonger dans la corolle d'une fleur. Avec ses antennes, le grand paon peut sentir le parfum de sa femelle et la retrouver même si elle se trouve à 10 kilomètres.

Les papillons de jour sont souvent plus colorés que les papillons de nuit

Pourquoi met-on des épouvantails dans les champs ?

Avec ses bras en croix, ses vieux habits et son chapeau de travers, l'épouvantail n'est vraiment pas gai, tout seul au milieu des champs ! Il faut dire qu'il est là pour faire peur. Au moment où les agriculteurs sèment les graines, les oiseaux affamés se précipitent dessus. Et à la saison des fruits, ils viennent dévorer les cerises ou les prunes. L'épouvantail ressemble à un homme et bouge dans le vent, pour faire fuir les oiseaux. Mais souvent, les gourmands s'y habituent peu à peu et ne sont plus effrayés. Alors, il faut trouver d'autres moyens pour les éloigner, du papier d'argent dans les arbres ou même des pétards.

En hiver, les corbeaux s'installent chez nous...

Les épouvantails effraient les oiseaux...

qui dévorent les graines et les fruits

D'où viennent tous les corbeaux que l'on voit en hiver ?

En hiver, des bandes d'oiseaux noirs s'installent dans les champs. Ce sont des corbeaux freux. Ils viennent des pays de l'Europe de l'Est, où les hivers sont si froids qu'ils ne les supportent pas. Car pendant de longs mois, une épaisse

Les pies sont-elles vraiment des voleuses ?

Si tu as une pie dans ton jardin, ne laisse pas traîner des clés ou des pièces. Ce bel oiseau noir aurait vite fait de les prendre, car il est attiré par ce qui brille. Mais si on dit que la pie est voleuse, c'est aussi parce qu'elle va piller le nid des autres oiseaux. Quand elle l'a découvert, elle tue tout ce qui vit, les œufs, les petits et même les adultes. Tu comprends pourquoi les paysans ne l'aiment pas beaucoup, et la chassent sans pitié. Pourtant, la pie s'apprivoise facilement. Elle fait son nid en haut des arbres et a en réalité des menus très variés : elle mange de tout, et même parfois les miettes que tu laisses sur le bord de la fenêtre.

et picorent dans les champs

Tout ce qui brille attire la pie

couche de neige recouvre ces régions. Les corbeaux ne trouvent plus rien à manger et risqueraient d'en mourir. Alors, ils partent en grandes bandes, pendant des centaines de kilomètres, vers nos pays, beaucoup plus doux. La plupart des oiseaux se sont envolés vers des endroits plus chauds, et les corbeaux freux, presque seuls, trouvent facilement leur nourriture dans les champs.

Une pie près de son nid

Les perdrix habitent-elles dans les arbres ?

Même si tu cherches longtemps, tu ne trouveras sans doute pas le nid de la perdrix. Il est vraiment bien caché. Elle ne construit pas son nid dans les arbres comme les autres oiseaux. La perdrix s'installe sur le sol, dans les sillons des champs. Elle choisit un creux enfoui sous des herbes sèches. Pour garder l'endroit secret, elle le recouvre de brins d'herbe et de feuilles dès qu'elle le quitte quelques instants. A l'approche des moissons, les perdrix sont assez grandes pour abandonner leurs nids, qui seront détruits par les moissonneuses.

La perdrix fait son nid dans les sillons

Attention à la faucheuse !

Pourquoi dit-on parfois que les hirondelles volent bas ?

Sans doute as-tu déjà vu des nids d'hirondelles. Ils ressemblent à des boules de boue séchée accrochées sous les toits. Les hirondelles se nourrissent d'insectes qu'elles gobent en volant à plus de 200 kilomètres à l'heure. A

Pour nourrir leurs petits...

Pourquoi les fauvettes s'agitent-elles à l'automne ?

C'est l'automne. Dans le jardin, les fauvettes n'arrêtent pas de s'agiter, car elles préparent un long voyage. L'hiver va arriver et elles doivent partir vers un pays chaud : c'est la migration. Elles connaissent le chemin, et se dirigent peut-être en suivant les étoiles, comme si elles avaient une boussole. Elles feront ainsi des milliers de kilomètres pour retrouver l'endroit où elles vont chaque année. Peut-être en verras-tu passer des centaines au-dessus de ta tête. Mais il y a des milliers d'autres oiseaux qui volent très haut dans le ciel.

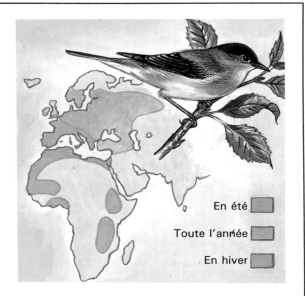

En été
Toute l'année
En hiver

Les fauvettes font de grandes migrations

les hirondelles chassent les insectes en vol

l'approche d'une averse ou d'un orage, l'air devient « lourd » et les insectes ont du mal à voler. Ils descendent alors plus bas, et les hirondelles les suivent pour les attraper. Quand elles sont ainsi près du sol, on sait qu'il risque de pleuvoir. Quand elles restent haut dans le ciel, il fera sans doute beau. On dit aussi que lorsqu'elles arrivent chez nous, le printemps et sa douceur sont de retour.

Que fait le faucon crécerelle, immobile dans le ciel ?

Comme suspendu à un fil invisible, le faucon crécerelle reste immobile, au-dessus des champs pendant plusieurs minutes. Il a étalé sa queue. Ses ailes complètement déployées vibrent. Il fait le « Saint-Esprit », un vol sur place. Dans cette position étonnante et très habile, tournant la tête à droite et à gauche, il observe attentivement le sol. Il cherche ses proies. Mulot, gros insecte, ou même lézard rapide, rien ne peut lui échapper. En quelques secondes, il descend vers lui en piqué et l'emprisonne dans ses serres.

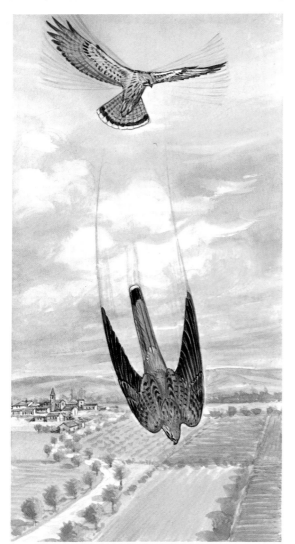

Le faucon crécerelle s'abat en piqué

Les rapaces mangent-ils leurs proies tout entières ?

Si tu habites à la campagne, tu trouveras peut-être, sur le plancher du grenier, d'étranges petites boules. En les regardant attentivement, tu y verras des poils, des plumes, des petits os et des têtes d'oiseaux. Ce sont les restes du repas d'un rapace, une chouette par exemple, qui habite ici. Il ne les a pas rassemblés pour faire le ménage ! En réalité, le rapace avale sa proie tout entière, mais il ne peut pas digérer les os, les poils, les plumes. Alors, il les recrache un peu plus tard, bien tassés en une petite boule.

Est-il vrai que les oiseaux voient très bien?

Du haut d'une tour de cinquante étages, tu vois les piétons aussi petits que des fourmis. Du haut de la même tour, certains oiseaux, comme les rapaces, pourraient distinguer une souris courant tout en bas. Ils ont une vue excellente. Nos yeux sont sur le devant de notre visage. Ceux des oiseaux sont sur les côtés. Ils peuvent donc voir presque tout autour d'eux en ne bougeant qu'à peine la tête, ou juste en tournant leur cou, très souple. En plus, une paupière translucide garde leurs yeux humides et les protège bien du soleil.

Les rapaces ont une excellente vue. Les oiseaux ne voient pas tout à fait comme nous

Dans le grenier, de curieuses petites boules...

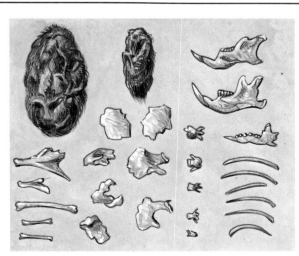

sont les restes du repas de la chouette

La chouette effraie chasse la nuit

Elle voit et entend très bien

La chauve-souris est-elle un oiseau ?

Imagine que tes doigts soient aussi longs que des baleines de parapluie. Si on tendait entre eux une toile, et qu'on la collait le long de ton corps, jusqu'à tes pieds, on te ferait des ailes de... chauve-souris. Grâce à elles, cet animal peut voler comme un oiseau. Pourtant, ce n'est pas un oiseau. D'ailleurs, son corps n'est pas recouvert de plumes, mais de poils. Les petits de la chauve-souris ne se forment pas dans des œufs, comme ceux des oiseaux, mais ils se développent dans le ventre de leur mère, comme les chatons ou les bébés. La chauve-souris est un mammifère.

Comment la chauve-souris se dirige-t-elle dans l'obscurité ?

Même avec les yeux bandés, une chauve-souris peut passer à travers des fils tendus sans les frôler. Mais avec les oreilles bouchées, elle rentre dedans et ne sait plus où elle est. Elle se dirige donc avec ses oreilles. Elle pousse des petits cris tellement aigus que nous ne pouvons pas les entendre. On les appelle des ultra-sons. Quand ils rencontrent un obstacle, ils rebondissent et renvoient un écho. Le temps que met cet écho à revenir permet à la chauve-souris de savoir à quelle distance se trouve l'obstacle. De cette façon, elle se déplace sans difficulté.

Comment fait la chouette effraie pour chasser la nuit ?

N'aie pas peur la nuit si tu entends dehors de longs cris répétés. C'est une chouette effraie. Elle ne vit pas comme nous. Pour elle, il n'est pas l'heure de dormir, mais de chasser. Elle connaît parfaitement son territoire. Du haut d'un arbre, elle attend. Le moindre bruit lui fait tourner la tête dans tous les sens. Autour des yeux, elle a un disque de plumes qui reçoit la faible lumière. Il lui permet même de mieux entendre les sons. Elle peut ainsi se diriger vers ses proies malgré la pénombre. Dans l'obscurité totale, elle ne voit pas, mais s'oriente d'après les sons.

La chauve-souris a des poils

Elle vole, mais ce n'est pas un oiseau

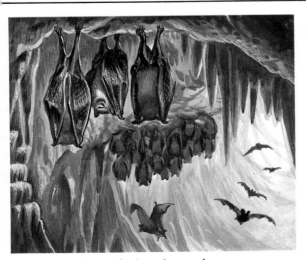

Même dans les endroits très sombres...

les chauves-souris trouvent leurs proies

Hanneton

Fourmis

Pucerons

Hérisson

Lapin

Cicadelle
spumeuse

Punaise verte

Escargot

Sauterelle
en train de pondre

Mulots, fourmis et compagnie

Punaise rayée

Alouette

Chenille
du papillon psi

Insecte coléoptère

Musaraigne

Épeire diadème

Sauterelle

Où vont les colonnes de fourmis ?

Dans le jardin, une colonne de fourmis s'agite dans tous les sens. Regarde-les bien. En réalité, elles n'arrêtent pas de transporter des grains, des miettes, des insectes morts dont elles se nourrissent. Elles traînent aussi des morceaux de feuilles, des brindilles pour construire leur fourmilière. Quand une fourmi a fait une découverte intéressante, elle va chercher ses compagnes. En les tapotant avec ses antennes, elle les prévient. Tout le long du chemin, elle laisse derrière elle une odeur qui les guide. Les autres fourmis la suivent comme de petits soldats et l'aident à rapporter le butin.

Les fourmis font-elles des provisions pour l'hiver ?

Tu ne verras jamais une fourmi passer devant un petit morceau de nourriture sans s'arrêter et tout faire pour le rapporter à la fourmilière. Les fourmis sont très actives. Elles chassent, ramassent, font de l'élevage, cultivent, toujours pour se nourrir. Mais elles ne font pas de provisions pour l'hiver. Quand le froid arrive, elles se cachent tout au fond de la fourmilière et s'endorment. Elles resteront là jusqu'au printemps. On dit qu'elles hibernent. Elle n'ont alors pas besoin de manger.

Est-il vrai que les fourmis élèvent des pucerons ?

Pour se nourrir et nourrir leurs larves, les fourmis ont besoin d'aliments sucrés. Or, dans la nature, vivent de minuscules insectes qui fabriquent une sorte de miel. Ce sont les pucerons, installés par colonies entières sur les tiges. Les fourmis ont découvert qu'au lieu de faire des allées et venues incessantes, il était bien plus pratique d'élever les pucerons. Elles les enferment derrière des « clôtures », les soignent et les gardent attentivement. Avec leurs antennes, elles « traient » régulièrement leurs pucerons pour obtenir une goutte de « miel ».

Les fourmis se déplacent en colonnes

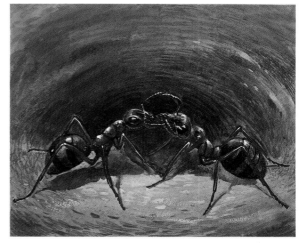
Elles communiquent avec leurs antennes

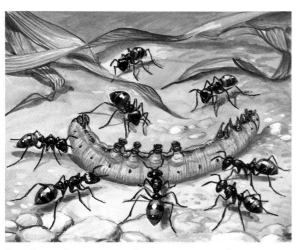
Les fourmis ont trouvé une grosse proie

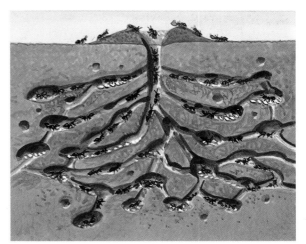
En hiver, elles se cachent dans la fourmilière

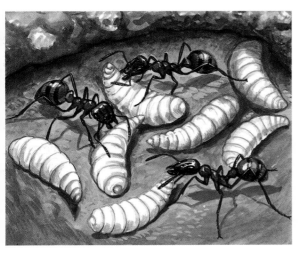
Les fourmis s'occupent de leurs larves…

et les nourrissent du « miel » des pucerons

Comment font les sauterelles pour sauter si loin?

Quand tu marches dans l'herbe, l'été, des sauterelles s'échappent en faisant de grands bonds. Si tu les observes bien quand elles ne bougent pas, tu verras que leurs pattes arrière sont repliées comme la lettre « Z ». Au moment du saut, elles se détendent comme un ressort, et la sauterelle se trouve projetée au loin. La plupart du temps, pourtant, elle marche ; mais si elle sent un danger, tes pieds par exemple, elle saute. Certaines même arrivent à s'envoler.

Les sauterelles s'enfuient en sautant

Pourquoi trouve-t-on parfois des peaux de criquet ?

Le corps du criquet est protégé par un étui, la carapace, dur comme une armure. Quand l'œuf éclôt, il en sort une larve minuscule, noire, avec des pattes. Mais ses ailes et ses antennes sont encore presque invisibles. Pour grandir, le

Le saut du criquet

Qui sont ces brindilles à pattes ?

Étonnant ! Cette brindille a des pattes, et elle avance. Soudain, elle s'arrête et tu ne la vois plus. Elle a la même forme et la même couleur que le rameau sur lequel elle se trouve. Elle se confond avec lui. En réalité, ce n'est pas une brindille, mais un insecte déguisé en plante : le phasme, qui porte aussi le nom curieux de « bâton du diable ». Quelle bonne farce il fait aux oiseaux et aux autres animaux qui voudraient le manger ! Il se cache si bien qu'ils ne peuvent pas le repérer. Voilà un bon moyen de défense quand on n'a ni ailes pour s'envoler ni dard pour piquer.

riquet doit abandonner de temps n temps son étui devenu trop troit parce que celui-ci n'est pas ssez souple pour grandir avec lui. On dit qu'il mue. Avant de devenir dulte, il abandonne ainsi cinq fois on ancienne « peau ». Ces peaux, que tu trouveras peut-être dans les hamps, c'est un peu ses habits d'enfance qu'il quitte parce qu'ils ont trop petits pour lui. Toi, tu ais exactement la même chose.

doit changer de peau pour grandir

Le phasme ressemble à une brindille

Pourquoi l'araignée construit-elle une toile ?

La toile de l'araignée est un piège

Si tu es attentif et patient... comme l'araignée, observe sa toile. Tu n'attendras sans doute pas longtemps : un petit moucheron va venir se prendre dans ce piège. L'araignée a trouvé là un bon moyen pour attraper ses proies. Dès qu'un insecte touche la toile, il se colle aux fils. En essayant de se dégager, il avertit l'araignée. Comme un funambule sur son fil, elle se précipite vers lui et le pique. Son venin le paralyse. Elle déguste aussitôt sa victime ou la garde pour plus tard. La toile de l'araignée est une arme redoutable, parce que les insectes ne la voient pas.

Qu'est-ce qu'un ver luisant ?

Non, ce n'est pas une petite lampe pour éclairer les feuilles. Ni un feu vert clignotant pour régler la circulation des mille-pattes. Ni même un ver, malgré son nom. Ce petit animal, qui ne mesure pas plus d'un centimètre de long, est un insecte, qu'on appelle aussi lampyre. Les vers luisants sont toujours des femelles. Elles n'ont pas d'ailes. Quand elles avancent, la lueur verte apparaît. Et les mâles qui, eux, volent mais ne brillent pas, peuvent les rejoindre.

Comment l'araignée fait-elle pour la tisser?

Comme un architecte, l'araignée repère le meilleur endroit pour construire sa toile. Des branches, des tiges, des herbes. Puis, comme une véritable usine à soie, elle fabrique elle-même, avec une sorte de bave, les différents fils dont elle a besoin. Elle a au bout des pattes plusieurs outils, des griffes pour couper, des peignes pour étirer la toile. Comme un ouvrier, elle travaille suivant un plan bien précis. Elle tend d'abord un fil, puis elle fait un cadre, des rayons, et enfin une spirale. C'est là qu'elle s'installera pour attendre ses proies.

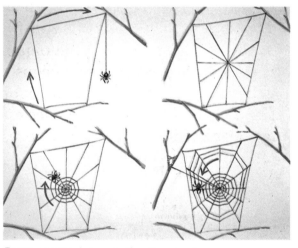

Pour construire sa toile, l'araignée...

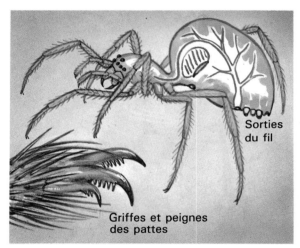

Sorties du fil

Griffes et peignes des pattes

fabrique un fil et s'aide de ses pattes

Les lucioles et les vers luisants...

brillent la nuit

115

Les escargots ont-ils des yeux ?

L'escargot a une drôle de tête, avec ses cornes dressées. A leurs extrémités, il y a deux petites boules noires, ses yeux. Là aussi se trouve le nez avec lequel il sent les feuilles tendres. Les cornes ressemblent à des doigts qui pianotent, et elles lui permettent aussi de toucher. Et les dents ? Il en a plein dans la bouche, pour raper les morceaux de feuille. Enfin, ne crois pas que le petit trou qui se trouve derrière les cornes est une oreille. L'escargot n'en a pas. Ce trou lui sert à pondre ses œufs.

Pourquoi les escargots bavent-ils ?

Il pleut. Si, dans le jardin, tu suis la trace brillante de la bave d'un escargot, tu le trouveras bien vite. Pose-le alors sur une vitre. Il va se coller comme la ventouse d'une fléchette, et commencer à ramper. Passe de l'autre côté de la vitre et regarde-le par transparence. Sous son corps, tu verras onduler des petits muscles, qui le font avancer. Il bave pour bien se fixer, mieux glisser, et aussi se protéger des objets coupants. L'hiver venu, il se retire complètement dans sa coquille qu'il bouche avec une couche de bave, comme s'il fermait la porte de sa maison.

Comment naissent les bébés escargots ?

Les escargots sont à la fois mâle et femelle. Mais il faut quand même qu'ils soient toujours deux pour faire des petits. Ils pondent leurs œufs par le trou situé derrière leurs cornes et les déposent dans un creux qu'ils font dans la terre. Au bout de trois semaines, les bébés escargots naissent. Ils ont une coquille si fine qu'elle est transparente, mais ils sont déjà complètement formés. Aussi vite qu'ils le peuvent, car ce ne sont pas des champions de vitesse, ils remontent alors à la surface pour grignoter leur première feuille.

Les escargots touchent avec leurs cornes…

qu'ils rentrent si on les touche

L'escargot laisse une trace de bave

Elle le protège et l'aide à glisser

Deux escargots s'accouplent

Ils pondent dans la terre

Les petits sortent des œufs

Beaucoup de serpents ne sont pas dangereux

Une couleuvre et une vipère

Existe-t-il des lézards sans pattes ?

Il ressemble à un serpent, il a la tête d'un serpent, il rampe comme un serpent, pourtant, ce n'est pas un serpent. Si on l'attrape par la queue, elle se casse comme du verre. C'est un lézard sans pattes appelé orvet. Mais cela ne l'empêche pas de se déplacer. Tous les lézards avancent en faisant onduler leur corps. Leurs pattes les rendent simplement plus agiles. Grâce à elles, ils peuvent grimper le long des murs ou même y rester accrochés, immobiles, pour profiter du soleil. L'orvet, lui, ne peut pas.

La vipère mord sa proie, suit sa trace et la dévore

Peut-on rencontrer des serpents dans les champs ?

Dans les jardins, il y a très peu de serpents. Dans les champs, ils se cachent sous les hautes herbes et les cailloux, et ils sont difficiles à voir. Mais tu n'as pas grand-chose à craindre. Beaucoup de serpents ne sont pas dangereux. La couleuvre qui se chauffe au soleil près du ruisseau ne te fera aucun mal. Mets quand même des bottes quand tu vas te promener dans les champs. Car les vipères, elles, plus petites que les couleuvres, ont un venin empoisonné et peuvent mordre si elles ont peur.

L'orvet est un lézard sans pattes...

mais les autres lézards en ont

A quoi sert la langue de la vipère ?

Quand une vipère capture une proie, elle plante dans sa chair ses crochets à venin, puis elle desserre les mâchoires. L'animal s'enfuit, mais ne tarde pas à s'écrouler, mort. La vipère part alors à sa recherche. Sa langue lui rend de grands services. Elle tâtonne rapidement le sol et aide le serpent à flairer la piste de sa victime grâce à son « odorat » spécial très sensible. Lorsque la vipère a retrouvé sa proie, elle l'engloutit tout entière. Et elle n'hésite pas à s'attaquer à des bêtes plus grosses qu'elle.

Pourquoi dit-on que certains animaux sont des rongeurs ?

Beaucoup d'animaux se nourrissent uniquement de plantes. On les appelle des végétariens. Parmi eux, certains ne mangent que de l'herbe : ce sont les herbivores. D'autres préfèrent les végétaux plus durs : racines, graines, fruits secs. On dit qu'ils rongent. Ils prennent de petits morceaux en frottant leurs dents très fort contre la plante, puis ils les mâchent. Ces dents, les incisives, agissent un peu comme une lame de taille-crayon bien aiguisée. A force de ronger, les dents s'usent lentement. Pourtant, elles restent toujours de la même longueur parce qu'elles poussent sans arrêt.

Les rongeurs ont des incisives très aiguisées

Pourquoi les mulots s'installent-ils dans les maisons ?

Tu viens d'entendre de petites galopades dans le grenier. Ce sont sûrement des mulots. Ils vivent habituellement dans les champs. Mais l'hiver, quand ils ne trouvent plus rien à manger dans la nature, ils viennent se réfugier dans les

Les mulots profitent du plus petit trou...

Comment le rat des moissons peut-il grimper sur les épis ?

Minuscule, très léger, le rat des moissons a une queue aussi longue que son corps. Dans les champs de céréales, il mène une vie d'acrobate. Pour atteindre les graines perchées tout en haut, il doit grimper. Agile comme un singe, il se hisse, enroulant sa queue le long de la tige, comme sur une corde lisse, et prenant des prises très sûres avec ses doigts écartés. S'il aperçoit un ennemi, hop ! il se cache sous l'épi. Avec un équilibre incroyable, il peut garder cette position aussi longtemps qu'il y a du danger. Et pour être plus tranquille, il construit même son nid dans les épis.

Les rats des moissons...

construisent leur nid dans les épis

pour s'installer dans les maisons

maisons, à la campagne, pour chercher de la nourriture. Ils se faufilent partout, sous les portes, par les tuyaux, et même dans le conduit du lavabo. Ils arrivent à faire des trous dans les placards avec leurs dents très solides. Ils s'installent bien pour se protéger du froid et font leur nid dans des couvertures ou des coussins où l'on découvre parfois des bébés mulots qui viennent de naître.

Pourquoi dit-on « dormir comme un loir » ?

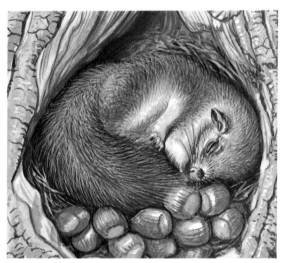

Pendant l'été, le loir mange des fruits juteux, des noix, des glands, des noisettes. Pour aller les chercher, il grimpe dans les arbres avec ses griffes. Mais voilà l'hiver, le froid, la neige. Plus une petite graine à croquer, plus rien à manger. Mais le loir s'est bien nourri. Il s'est fait des réserves de graisse, et peut passer l'hiver sans rien manger. Il va s'installer dans un trou d'arbre ou de mur et rester là pendant tous les mois froids. Il hiberne ainsi, roulé en boule, la queue entre les pattes. Au mois de mai, il se réveille et grignote vite ses provisions de noisettes.

Le loir fait des provisions pour l'hiver

Le renard ne mange-t-il que des poules ?

Le renard roux n'a pas peur de s'approcher des maisons. Il aime bien rôder près des poulaillers. Caquetant, picorant ou couvant leurs œufs, elles sont là, ses proies favorites, les bonnes poules dodues, bien nourries. Que c'est tentant ! Très rusé, le renard a vite fait de les attaquer par un trou du grillage. Les fermiers ne l'aiment pas beaucoup ! Mais en réalité, son menu est très varié, et change avec les saisons. En été et en automne, le renard mange autant de fruits que de viande. Au printemps et en hiver, il se nourrit surtout de petits animaux.

Que mange le campagnol ?

Le campagnol ronge, ronge, ronge ! Il adore les racines. Pour les atteindre, il creuse des galeries dans la terre. Il dévore tout sur son passage, détruisant les cultures. Il s'attaque aussi aux feuilles et aux céréales, et même aux écorces des jeunes arbres. Quand l'hiver arrive, il commence à entasser des provisions dans des trous qui deviennent de véritables magasins de graines, de feuilles et de légumes, où il viendra faire son marché quand il ne trouvera plus rien dans la nature.

Sous la terre, le campagnol creuse des galeries et dévore tout

Le renard n'attaque pas que les poules. Il se nourrit de tout

Que fait la musaraigne avec son museau pointu ?

La musaraigne ne mesure pas plus de dix centimètres. Avec son museau qui s'allonge un peu comme une trompe, on dirait une petite boule portant un grand nez ! Si tu découvres par terre des coquilles d'escargot brisées, c'est qu'une musaraigne rôde par là.

Remuant sans arrêt son museau, elle s'active dans un fossé, dans un endroit frais de la prairie ou le terrier d'une taupe. Elle chasse les souris, les vers, les orvets. Avec ses dents très pointues, elle croque les carapaces des gros insectes. Elle gobe aussi les mouches. Mais elle risque de se faire manger par les oiseaux rapaces.

Les bébés hérissons naissent-ils avec des piquants ?

Mais non ! Ils naissent même tout nus, et tout blancs. Pourtant, ils ont déjà leurs piquants, cachés bien à plat sous leur peau toute molle, et qui sortent au bout de quelques jours. Les petits hérissons en ont très vite besoin : ils les protègent comme une armure contre les ennemis qui voudraient les dévorer. Au moindre danger, le hérisson se met en boule et ses milliers d'« épées » se « hérissent ».

Que cherche le hérisson sous les feuilles ?

Pendant la journée, le hérisson sommeille dans le coin d'une haie qu'il a tapissé de feuilles. Le soir venu, regardant partout avec ses petits yeux rusés, il trottine en reniflant le sol de son nez pointu. Il cherche des escargots, des limaces, des insectes, des vers qu'il avale goulûment. Il plonge son nez dans tous les trous, poursuit les souris, les taupes, traque sous les feuilles les couleuvres, les orvets et même les vipères. Celles-ci peuvent bien le mordre, leur venin ne lui fait rien. Il les dévore ensuite en commençant toujours... par la queue.

Les petites musaraignes avancent à la queue leu leu derrière leur mère

Ses piquants protègent le hérisson

Ils apparaissent vite après la naissance

Le hérisson cherche sous les feuilles...

et trouve parfois un serpent qu'il dévore

Où vivent les lièvres et les lapins ?

Une nuit, devant les phares de la voiture, tu as peut-être vu détaler un lapin ou un lièvre. Il ne faut pas les confondre. Le lièvre est plus grand, plus élancé et plus rapide que le lapin de garenne. Il a de longues oreilles et ses pattes arrière, plus développées, le rendent très agile. Le lièvre et le lapin sortent tous deux la nuit, pour dévorer des plantes et ronger des écorces d'arbres. Ils ont de nombreux ennemis. Le jour, ils doivent rester cachés dans leurs immenses terriers reliés par des galeries. Ils y vivent en colonies et ils ont beaucoup de petits.

Le lièvre court très bien

Les grenouilles nous semblent froides

Il a des pattes plus longues que le lapin

Pourquoi les grenouilles sont-elles froides ?

Si tu as déjà attrapé une grenouille, tu as dû être étonné : son corps est tout froid. C'est parce qu'il est à la même température que l'air tout autour. Ton corps, sauf quand tu es malade, est toujours aux environs de 37° C, mais pas celui de la grenouille. S'il fait

Que font les petits animaux l'hiver ?

Le froid de l'hiver est terrible pour les animaux : ils ne trouvent plus rien à manger. Beaucoup d'insectes pondent leurs œufs puis meurent. D'autres animaux, qui ont beaucoup mangé à l'automne, se cachent dans un trou ou un nid de feuilles. La température de leur corps baisse, et ils s'endorment d'un sommeil profond. Ils hiberneront jusqu'au printemps. D'autres encore ont creusé un terrier pour entasser des provisions, qu'ils mangeront pendant l'hiver. Enfin, quelques-uns vont chercher ailleurs leur nourriture. Certains oiseaux partent même très loin, vers les pays chauds.

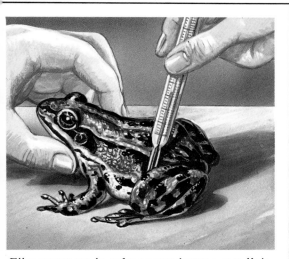

Elles prennent la même température que l'air

En hiver, de nombreux oiseaux s'en vont

14° C, son corps est à 14° C. S'il fait 15° C, il sera à 15° C. La grenouille n'a ni écailles ni poils. Sa peau est nue, toujours humide, et elle se refroidit bien plus vite que la nôtre. La grenouille pond dans l'eau. Les petits qui sortent des œufs ne lui ressemblent pas du tout. Ce sont les têtards, que l'on voit souvent dans les mares. Quand ils grandissent, leur queue disparaît et leurs pattes poussent.

D'autres animaux hibernent

Sous la terre

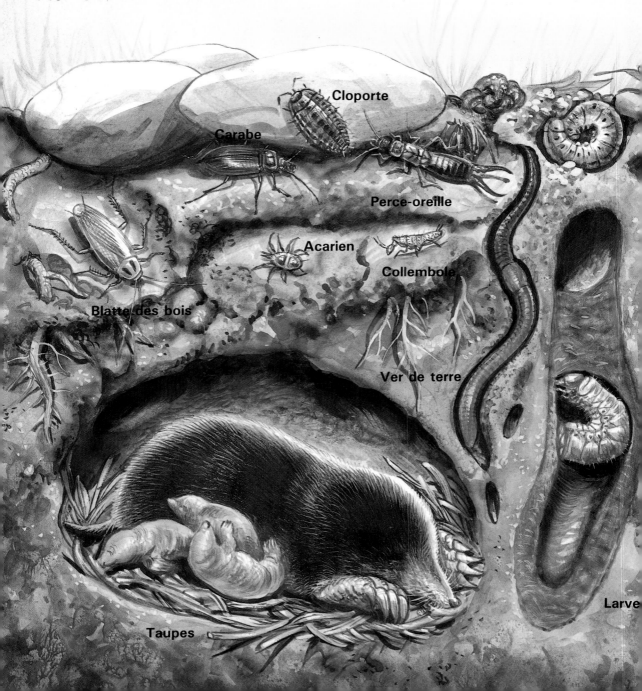

Mille-pattes

Grillon

Ponte d'escargot

Ponte de hanneton

Chrysalide

Courtilière

Comment les animaux peuvent-ils respirer sous la terre ?

La terre est formée de petits grains qui ne sont pas vraiment collés les uns aux autres. Entre eux, il y a de l'air, dont les plantes et tous les petits habitants du sol ont absolument besoin pour respirer. D'ailleurs, quand on retourne la terre des champs et des jardins, c'est pour l'aérer et aider les animaux et les végétaux à mieux vivre. Certains animaux, en creusant des galeries dans la terre, permettent aussi à l'air d'y pénétrer. Mais quand il pleut très fort, la terre devient trop humide. Les bêtes doivent sortir pour ne pas être noyées.

Qu'est-ce qu'une larve ?

A la naissance, certains animaux ne ressemblent pas du tout à leurs parents. Ils ont même une vie complètement différente. Le papillon est d'abord une chenille, la grenouille un têtard. Chenille et têtard sont des larves. Puis leur corps se transforme, et ils deviennent adultes. Ils changent alors souvent de vie. Par exemple, le têtard reste tout le temps dans l'eau et mange des débris d'herbe ; tandis que la grenouille peut sauter sur la rive et se nourrit d'insectes.

Combien de temps vivent les insectes ?

Beaucoup d'insectes passent la plus grande partie de leur vie à l'état de larve. Il existe une cigale dont la larve passe 17 ans sous terre avant de devenir adulte ; elle ne vit ensuite que quelques semaines à l'air libre. La reine des abeilles, au contraire, se développe en 2 semaines. Elle peut vivre 5 ans et pondre 2 millions d'œufs. Les autres abeilles meurent au bout d'un mois. Le bombyx du mûrier, lui, pond au printemps. Plusieurs mois après, les chenilles sortent de ses œufs. Ce sont les vers à soie, qui deviennent des papillons 60 jours plus tard, mais ne vivent qu'un jour.

Des milliers de petits animaux vivent sous la terre

Les têtards sont des larves de grenouille

Beaucoup d'autres animaux ont aussi des larves

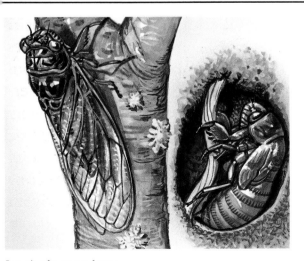

La cigale et sa larve

Le Bombyx du mûrier et le ver à soie

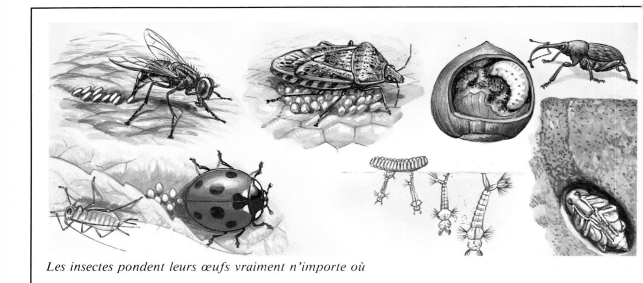

Les insectes pondent leurs œufs vraiment n'importe où

Le chant du grillon attire la femelle pendant l'été

Les mille-pattes ont-ils vraiment mille pattes ?

1 000 pattes, cela voudrait dire 500 paires de chaussures à enfiler tous les jours ! Heureusement pour eux, les mille-pattes n'en ont pas autant. En réalité, 1 000, cela veut dire beaucoup. Mais ils ont quand même des dizaines, parfois des centaines de pattes, qui pourtant ne les aident pas à se déplacer plus vite. Avec la première paire, qui contient un venin, ils peuvent agripper et tuer leurs proies. Ils aiment beaucoup les escargots.

Tous les insectes pondent-ils leurs œufs dans la terre ?

Quand les femelles fourmis sont prêtes à pondre, elles aménagent un nid avec des chambres spéciales. Mais beaucoup d'autres insectes abandonnent leurs œufs dès qu'ils les ont pondus. Pourtant, ils ne les mettent pas n'importe où. Il faut que dans son berceau, la larve puisse trouver sa nourriture. Ainsi, les coccinelles pondent près des pucerons, que leurs larves mangeront ; les mouches pondent sur la viande, les libellules ou les moustiques dans l'eau, les papillons, sur le côté intérieur des feuilles ; et les curieux balanins pondent... dans les noisettes.

Pourquoi les grillons chantent-ils en été ?

Si tu es discret et observateur, laisse-toi guider par le chant du grillon. Tu découvriras peut-être, sur la pente d'un talus, un trou tout rond dans la terre. C'est la maison du grillon. Devant le trou, il a aménagé une petite plate-forme pour y faire sa musique. La nuit venue, il s'installe à l'entrée de son terrier et frotte ses pattes le long des étuis, les élytres, qui protègent ses ailes. Ce chant lui permet d'appeler sa femelle et de la retrouver pour faire des petits.

Les iules et les scolopendres sont des mille-pattes

A quoi sert la pince du perce-oreille ?

En soulevant un caillou ou un bout de bois, tu surprendras souvent un perce-oreille. Il vit la nuit et, pendant la journée, il se cache dans les coins sombres, sous les pierres, les écorces, les feuilles, le foin. Une oreille serait une bonne cachette ! Mais malgré son nom, le perce-oreille ne te fera rien. Il se sert pourtant de sa pince, qui se redresse et se resserre quand il est en danger. C'est une bonne arme de défense. Elle lui permet aussi de déplier et replier ses ailes, dont il ne se sert d'ailleurs que rarement.

Des pinces pour attraper ou pour se défendre

Pourquoi les scorpions font-ils si peur ?

Le scorpion fait peur parce que, avec son venin très puissant, il tue facilement ses proies, mais aussi, parfois, les hommes. Il se reconnaît à ses deux pinces, qui ressemblent à celles des crabes, et à sa queue recourbée en l'air. Au bout se trouve un aiguillon relié à une

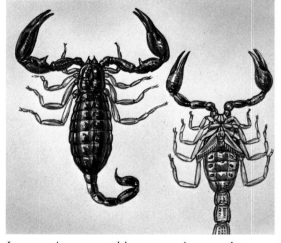

Le scorpion ressemble un peu à un crabe

Comment se déplace le scarabée ?

Comme il a l'air pressé ! Il court en zigzag dans les allées du jardin, mais il semble très bien savoir où il va. Il ne saute pas, et il ne vole pas. Comme tous les insectes, il a six pattes. Et courir avec six pattes, ce n'est pas toujours facile. Pourtant, le scarabée est très agile. Il avance en posant trois de ses pattes sur le sol. La première et la troisième d'un côté, et la deuxième de l'autre. Elles forment un trépied très stable, comme celui d'un tabouret, sur lequel il s'appuie. Pendant ce temps, les trois autres pattes se soulèvent, se tendent et se posent à leur tour.

Un scarabée

Le scarabée marche en zig-zag

Son aiguillon venimeux est dangereux

glande à venin. Le scorpion attrape sa proie avec ses pinces, bascule sa queue au-dessus de sa tête, et plante son aiguillon comme une flèche empoisonnée. Mais les scorpions de nos régions sont moins dangereux que ceux des pays chauds. Leur piqûre fait très mal, mais elle n'est pas mortelle. Et sais-tu que de nombreux scorpions peuvent passer toute une année sans manger ?

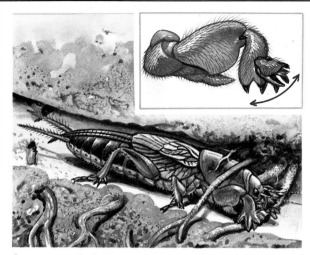

Les pattes de la courtilière sont très coupantes

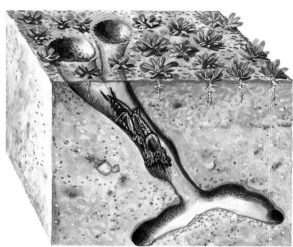

Son terrier a la forme d'une trompette

Comment vivent les vers de terre ?

Le ver de terre, ou lombric, est aveugle. Vivre sous la terre, où il fait noir, ne lui pose pas de problème. Il est sans doute le meilleur ami du jardinier. Des milliers de vers avancent sous la terre en remuant les petites soies qui leur servent de pattes. Leurs galeries permettent à l'air et à l'eau de mieux pénétrer dans la terre. Les lombrics respirent par de minuscules trous de leur peau. S'ils sortaient lorsqu'il fait jour, elle se dessècherait très vite au soleil. Mais ils n'aiment pas vraiment l'eau non plus ! Quand il pleut, ils sortent pour ne pas se noyer.

Est-ce que les vers de terre mangent de la terre ?

Le lombric va chercher sa nourriture la nuit. Il sort la tête du sol et attrape toutes sortes de végétaux déjà un peu pourris : des feuilles tombées ou des queues de fruits. Il les tire dans son terrier, les entoure d'une sorte de bave et en fait des provisions. Mais il mange aussi de petits morceaux de plantes ou d'animaux et des microbes enfermés dans la terre qu'il avale en creusant ses galeries. Il ne mange donc pas de terre, mais tout ce qu'il y a dedans.

Qui est la courtilière?

Tu auras du mal à la voir, parce qu'elle vit sous la terre des champs et des jardins. Mais un jardinier t'en parlera peut-être, car cet insecte dévore les racines. Tu l'entendras chanter, on dit striduler, au coucher du soleil. La courtilière creuse des galeries comme la taupe et elle chante comme le gril-lon. C'est pourquoi on l'appelle aussi la taupe-grillon. Son terrier très spécial ressemble à une trompette enfoncée dans le sol. Cette forme rend son chant beaucoup plus fort, au point parfois de te faire mal aux oreilles.

Les vers de terre aiment l'humidité

De petites soies les aident à ramper

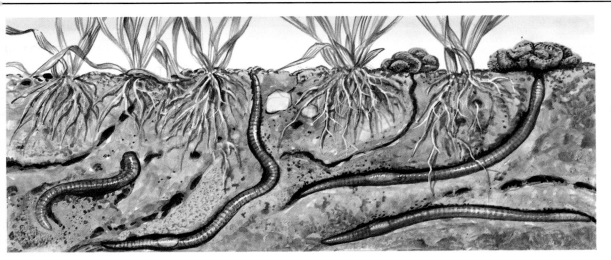

En creusant leurs galeries, les vers de terre aèrent les champs

Que fait la taupe avec ses grandes pattes ?

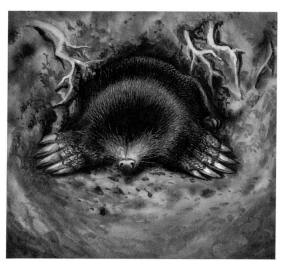

Des pattes qui creusent comme des pelles

Quand tu creuses un tunnel sur la plage, tu grattes avec tes doigts et, avec une pelle, tu enlèves le sable pour en faire un tas. La taupe n'aime pas le sable, mais elle creuse des galeries dans le sol des jardins. Elle a pour cela de très bons outils. Elle écarte la terre avec son museau pointu. Puis elle l'enlève avec ses pattes avant terminées par de grandes mains, de véritables pelles. Elle se sert de ses griffes comme de râteaux. Elle déplace la terre avec ses pattes arrière et en fait des tas. Ce sont des taupinières, que l'on voit dépasser dans les jardins et les champs.

Toutes les mottes de terre sont-elles faites par des taupes ?

Bien sûr, les taupes abîment les pelouses et coupent parfois quelques petites racines pour faire leurs galeries. Mais les campagnols creusent aussi des tunnels et ils font beaucoup plus de dégâts dans les cultures. Nous croyons que c'est la taupe, mais nous nous trompons. En réalité, la taupe est très utile : elle aère la terre et mange des quantités de petits animaux qui dévorent vraiment les plantes.

Comment se nourrit-elle ?

La taupe, toujours affamée, trouve sa nourriture dans le sol où elle vit. Sous son museau, sa bouche est si bien protégée qu'elle n'avale pas de terre. En creusant ses galeries, la taupe mange des vers, des larves, des insectes. Ses dents très pointues lui permettent de croquer des carapaces dures et de les casser en morceaux. Souvent, des animaux tombent dans ses galeries, et elle vient les chercher. Elle sent très bien et repère les mulots, les souris, les grenouilles, les lézards, les couleuvres. Mais il arrive aussi que les taupes se dévorent entre elles.

Le labyrinthe d'une taupinière

Une larve pour le repas

Les taupes abîment les champs...

mais beaucoup moins que les campagnols

139

Pourquoi certains animaux s'appellent-ils des mammifères ?

Dès qu'ils sortent du ventre de leur mère, certains petits animaux vont aussitôt téter ses mamelles. Ils ont longtemps besoin d'elle. Au printemps, au moment des naissances, regarde les agneaux, les veaux, les poulains. Ils gambadent et puis, tout à coup, ils se précipitent vers leur maman pour boire son lait. Les bébés mulots, les lapereaux, les renardeaux, tous les animaux qui sont couverts de poils font la même chose. Nous les appelons des mammifères parce que leur mère porte des mamelles. Et toi, bien sûr, tu en es un.

Comment reconnaît-on un insecte ?

Tous les insectes ont le corps divisé en trois parties, appelées la tête, le thorax et l'abdomen. Certains n'ont pas d'ailes. D'autres en ont une ou deux paires. Mais surtout, ils ont tous une paire d'antennes et trois paires de pattes. Il ne te reste plus qu'à compter ! Deux, quatre, six pattes : la coccinelle est un insecte, ainsi que la fourmi, et la guêpe, et l'abeille. Deux, quatre, six..., huit pattes : l'araignée n'est pas un insecte. Le mille-pattes non plus. Mais ce sont quand même des « cousins ».

Les animaux des champs vivent-ils aussi dans les forêts ?

Les animaux qui vivent dans les champs et les jardins vont parfois dans la forêt pour se promener ou chasser. Mais ils n'y restent jamais longtemps. Car tous les animaux ont un territoire bien à eux. Ceux qui habitent les forêts ressemblent parfois à ceux des champs mais, en réalité, ils sont différents. Tous les êtres vivants sont habitués à un milieu précis : forêts, champs, prairies, montagnes, lacs, rivières, mers, et bien d'autres encore. Voilà pourquoi la nature est si variée et tellement belle.

Les bébés boivent le lait de leur mère...

comme les autres mammifères

Tête, pattes et abdomen des insectes

Apprends à reconnaître les insectes

Dans la nature, observe les territoires de tous les animaux

Vaches

Dindon

Coq

Porc

A la ferme

Cheval

Lapins

Poules

On trait les vaches à la main...

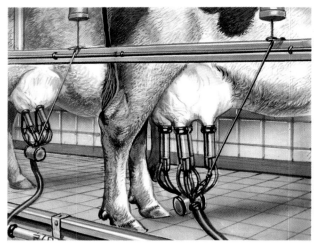
ou avec une trayeuse électrique

Que font-ils avec le lait ?

Quand les fermiers ont trait leurs vaches, ils mettent le lait dans des tanks, des sortes de grandes cuves, et ils le conservent au froid, comme dans ton réfrigérateur. Puis un gros camion-citerne fait le tour des fermes pour ramasser le lait. Il l'emporte vers une usine, la laiterie. Là, des machines automatiques remplissent des bouteilles ou des cartons, que tu pourras acheter dans les magasins. Mais avec le lait, on fait aussi beaucoup d'autres produits : du beurre, du fromage, de la crème, des glaces...

Est-ce que seules les vaches donnent du lait ?

Les animaux du monde sont très nombreux et très différents. Dans nos pays, les agriculteurs élèvent des vaches, des brebis ou des chèvres. En Afrique, ils ont des ânes, des dromadaires et beaucoup de chèvres ; en Asie, des chameaux et des yacks ; dans le nord de l'Europe, des rennes. Toutes ces bêtes donnent leur lait, très nourrissant, aux éleveurs. Les habitants de ces régions le boivent. Ils en font aussi du fromage et du beurre, comme nous.

Comment les fermiers traient-ils les vaches?

Deux fois par jour, le matin et le soir, les gens de la ferme doivent traire les vaches. Sinon, elles auraient trop de lait dans leurs mamelles, ce qui leur ferait très mal. Souvent, les fermiers se servent de machines spéciales que l'on appelle des trayeuses électriques.

Elles tirent le lait toutes seules, très proprement. Parfois, pourtant, les vaches n'aiment pas du tout la trayeuse électrique. Il faut alors les traire à la main, comme autrefois, en faisant couler le lait dans un seau. C'est beaucoup plus long.

Le lait, mis dans des bidons... est transporté dans des camions-citernes vers les laiteries

Les chèvres aussi donnent du lait... comme les yacks en Asie... et les dromadaires en Afrique

En hiver, il faut donner à manger aux vaches

Elles doivent aussi beaucoup boire

Dans tous les pays du monde...

il existe des « vaches »...

très différentes

Les rennes du grand Nord

Les troupeaux d'Afrique

Les vaches de nos montagnes

Que mangent les vaches quand la neige recouvre les champs ?

L'hiver, il n'y a presque plus d'herbe dans les prés. Les vaches n'ont pas grand-chose à manger. Il faut leur apporter du fourrage : du trèfle, de la luzerne, et d'autres herbes ramassées en été et gardées dans la grange. Quand il fait vraiment très froid et que la neige recouvre les champs, les fermiers rentrent les vaches à l'abri, dans l'étable. Là, ils leur donnent du fourrage, mais aussi des aliments plus nourrissants, des granulés d'herbe séchée, par exemple. Et aussi des litres et des litres d'eau, car les vaches boivent beaucoup.

Élève-t-on des vaches partout dans le monde ?

Les vaches forment une très grande famille. Il en existe presque partout dans le monde, mais elles sont assez différentes. Certaines ont des cornes immenses, d'autres minuscules. Les unes ont une seule couleur, les autres des taches. En Asie, on élève des buffles, en Afrique aussi, ainsi que des zébus, avec leur bosse sur le dos ; en Amérique et en Australie, les vaches sont un peu comme les nôtres. Toutes ne vivent pas de la même façon. Elles broutent en liberté dans de grandes prairies, ou restent dans des enclos, ou même ne sortent jamais de l'étable.

Qu'est-ce qu'un élevage nomade ?

Dans le grand Nord, où il fait très froid, vivent des rennes. Les hommes ne les élèvent pas dans des enclos. Ils préfèrent les suivre quand ils se déplacent pour trouver leur nourriture. En Afrique, certains peuples déménagent régulièrement pour conduire leurs troupeaux vers les régions où ils peuvent brouter. Ces éleveurs ne cultivent presque jamais de champs, car ils changent souvent de région. Dans nos pays aussi, les bergers emmènent parfois leurs troupeaux dans des champs où l'herbe est très bonne, par exemple dans les prairies de montagne.

Qui soigne les animaux malades ?

Les agriculteurs s'occupent beaucoup de leurs bêtes. Ils changent souvent la paille de leur litière et les nourrissent bien. Comme toi, les animaux de la ferme sont vaccinés contre certaines maladies. Pourtant, parfois, ils se blessent ou sont malades. En général, le fermier sait les soigner lui-même. Car il les connaît et en prend grand soin. Mais quand ils ne guérissent pas, il doit appeler le vétérinaire. C'est le docteur des bêtes. Il sait quels médicaments il faut leur donner. Parfois même, il les opère ou les aide à avoir leurs petits.

Où naissent les petits animaux de la ferme ?

La naissance d'un petit est un moment important de la vie de la ferme. Le fermier préfère que les vaches fassent leur veau à l'étable, où il peut les aider. Quand le veau sort difficilement du ventre de sa mère, il faut appeler le vétérinaire. Car les vaches coûtent très cher et ne font qu'un petit par an. Le berger, lui aussi, aide souvent ses brebis à faire leurs agneaux. Mais beaucoup d'autres animaux, comme les porcs ou les poules, n'ont besoin de personne ! Ils ont leurs petits tout seuls.

Les chiens des bergers gardent les troupeaux...

et les défendent

Il faut vacciner les jeunes animaux...

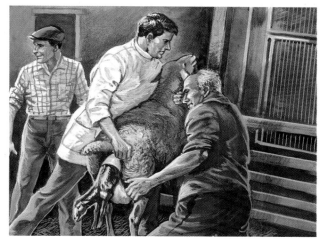

et les soigner pendant toute leur vie

La tétée dans la porcherie

Le poussin sort de l'œuf

Pourquoi y a-t-il des chiens dans les troupeaux ?

Quand le fermier rentre ses vaches, ou quand le berger conduit les moutons, ils emmènent toujours un ou plusieurs chiens, qui les aident. Ils empêchent les bêtes de sortir du troupeau, en aboyant ou en leur mordillant les pattes. Ils savent aussi protéger les moutons qui broutent en liberté. Car il arrive que des chiens errants, ou même des loups dans certaines régions, guettent les animaux et les attaquent dès qu'ils sont isolés.

Les porcs sont-ils vraiment sales ?

Tu as peut-être un jour été tout barbouillé, « sale comme un cochon », dit-on. C'est vrai que les porcs qui vivent dehors sont souvent couverts de terre. Ils se roulent dans la boue pour se débarrasser des mouches ou des puces qui les piquent et peuvent les rendre malades. Mais aujourd'hui, ils vivent souvent dans des porcheries, bien au sec. Et s'ils sentent un peu fort, ils ne sont pas vraiment sales.

  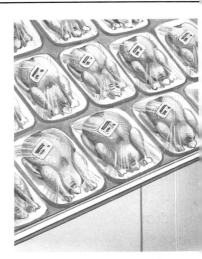

Des milliers de poules...   *sont élevées dans des cages...*   *pour être mangées*

Pourquoi les poulets grandissent-ils dans des cages ?

Dans la cour de la ferme, les poulets picorent tranquillement. Tous les jours, on leur donne du grain. Ils seront délicieux à manger. Mais ils grandissent lentement. Quand le fermier veut produire beaucoup de poulets, il les enferme dans des cages et les fait grossir plus vite, avec une nourriture spéciale. Il peut ainsi en élever plusieurs milliers à la fois. Ces poulets coûtent moins cher que ceux qui vivent en liberté, mais leur viande a quand même moins bon goût quand nous la mangeons.

Des porcs en liberté

Dans une porcherie moderne

Peut-on trouver un poussin dans un œuf ?

Le jaune de l'œuf, ce n'est pas un poussin, mais la nourriture qu'il peut manger quand il grandit dans la coquille. Ce jaune est bon aussi pour nous. Mais les œufs que nous achetons dans les magasins ne donnent pas de poussins. Car ils sont pondus par des poules qui vivent dans de grands élevages, sans coq. Et il faut toujours une poule et un coq pour faire un poussin. Alors, tu peux manger le jaune et le blanc de tes œufs tranquillement !

Un œuf ne contient pas de poussin...

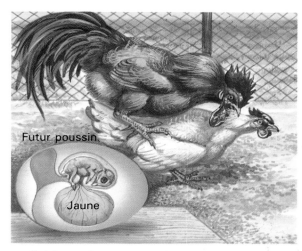

Futur poussin.

Jaune

sauf si la poule a rencontré un coq

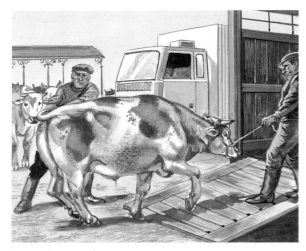
Les animaux des troupeaux...

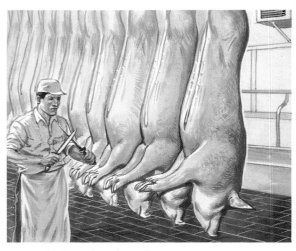
sont tués dans les abattoirs

Comment conserve-t-on la viande ?

La viande s'abîme vite. Depuis très longtemps, les hommes savent la conserver pour la garder. On peut la sécher, la fumer, la saler, la cuire... ou même la congeler. Dans les grands abattoirs modernes, les énormes morceaux de viande sont mis dans de très grands réfrigérateurs. Puis ils sont transportés dans des camions frigorifiques jusque dans les magasins. Les bouchers mettent aussitôt leur viande dans des chambres froides.

Est-ce qu'on ne garde que la viande des animaux ?

Bien sûr que non ! On garde même presque tout. La peau des vaches, des porcs ou des moutons permet de faire des vêtements ou des chaussures : c'est le cuir. On récupère aussi les os, le gras et les entrailles des bêtes qui sont tuées. Ils servent souvent à fabriquer de la nourriture pour d'autres animaux, des pâtées et des boulettes pour les chiens et les chats par exemple. Sais-tu ce que deviennent les os ou le gras ? De la gelée et des engrais, ou des produits de maquillage. Et avec le duvet des volailles, on remplit des couettes ou des oreillers douillets.

Qui tue les animaux d'élevage ?

Autrefois, les éleveurs tuaient eux-mêmes les animaux. Parfois, le boucher ou le charcutier du village venait les aider. Aujourd'hui, ils vendent leurs vaches, leurs porcs ou leurs moutons vivants. Entassées dans des camions spéciaux, les bétaillères, les bêtes partent vers des abattoirs très modernes, où elles sont tuées. Des vétérinaires surveillent la qualité de la viande, pour qu'elle ne puisse pas te rendre malade. Mais les fermiers continuent à tuer les petits animaux qu'ils élèvent, les poules, les canards ou les lapins, quand ils veulent les manger.

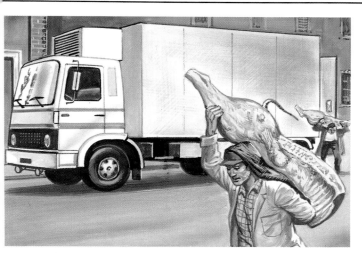

La viande est apportée dans des camions frigorifiques...

chez le boucher ou le charcutier

Des vêtements en peau

De grands ballots de laine

Une pâtée pour chien

Élève-t-on toujours les animaux pour les manger ?

Nous mangeons la viande de nombreux animaux, mais ils nous donnent parfois d'autres produits très utiles. On élève ainsi certains moutons pour leur laine de très bonne qualité, et des lapins pour leurs poils très doux. Des vaches parce qu'elles font beaucoup de lait. Et des poules parce qu'elles donnent plusieurs œufs par jour. Il existe même des élevages d'animaux qui ne seront jamais mangés. On n'utilise que leur peau, leurs poils. Dans certaines fermes vivent ainsi des centaines de visons : ils seront tués pour leur fourrure, qui permet de faire de beaux manteaux.

Qui tond les moutons ?

Tout simplement le berger. Mais ce n'est pas un travail facile. Car il faut aller vite, sans couper la peau. Il y a souvent beaucoup de moutons à tondre, et ils ne restent pas toujours tranquilles. Autrefois, le berger se servait d'une sorte de grand ciseau. Aujourd'hui, il utilise en général une tondeuse électrique, qui ressemble beaucoup à celle des coiffeurs. Souvent, toute la famille et des voisins viennent l'aider à tondre ses moutons. Ce jour-là, c'est la fête.

Existe-t-il des fermes de crocodiles ?

Certaines fermes sont vraiment étranges. On y trouve des animaux que tu n'as pas l'habitude de voir. En Asie, en Afrique, en Amérique, vivent ainsi des serpents et des crocodiles. Les serpents, capturés dans la nature, sont mis quelque temps dans des enclos ou dans des cages. Les éleveurs prennent leur venin mortel, qui servira à fabriquer des produits pour guérir les gens mordus par ces serpents. Les crocodiles, eux, sont élevés pour leur peau. Les chasseurs ne vont plus tuer ceux qui vivent en liberté.

Les poils des lapins angoras sont très doux,…

la fourrure des visons est magnifique

On tond la laine des moutons

On la pèse avant de la vendre

Une ferme de crocodiles

On élève des serpents…

pour garder leur venin

155

Pourquoi y a-t-il des ruches dans certaines fermes ?

Tu as peut-être vu, en te promenant dans les prés, de toutes petites maisons alignées les unes à côté des autres. Ce sont des ruches. En t'approchant, tu verras des abeilles qui n'arrêtent pas de rentrer et de sortir. Surtout, ne les dérange pas : elles n'aiment pas ça et pourraient se défendre. Certains fermiers installent des ruches dans leurs champs, car les abeilles fabriquent du miel qu'ils peuvent vendre, et elles sont les amies des cultures. En allant butiner les fleurs, elles transportent leur pollen et les aident ainsi à se reproduire.

Dans les ruches, les abeilles fabriquent du miel

Élève-t-on des animaux dans l'eau ?

Il existe vraiment des fermes dans la mer ! Des fermiers très particuliers élèvent des poissons dans de grands bassins ou à l'intérieur de cages ou de filets. Ils prennent les millions d'œufs pondus par les femelles. Ils surveillent les naissances. Ils nourrissent les bébés poissons, les alevins, avec des produits spéciaux. Ils s'en occupent jusqu'à ce qu'ils soient assez gros pour être mangés. Mais ces élevages ne sont pas faciles. Car tous les poissons ne vivent pas de la même façon et ne mangent pas la même chose.

Existe-t-il vraiment des élevages bizarres ?

Dans certains pays, comme la France, les gens aiment tellement les escargots qu'il faut en faire des élevages. Certains fermiers élèvent aussi des vers de terre. Ils ne les mettent pas dans leur assiette, mais dans des gros tas d'herbe et de terre. Car, en remuant, ils les aèrent, et en se nourrissant des produits qu'ils contiennent, ils les transforment peu à peu en bon engrais. Mais sais-tu qu'on élève des grenouilles ? Pour manger leurs pattes. En Afrique, il existe des fermes d'autruches. Avec un seul de leurs œufs, on fait une omelette... pour toute la famille !

On élève des escargots...

des grenouilles...

et même des autruches

Des bacs à truites

Des cages à saumons

Un âne et une jument

Les mulets sont très résistants

Qu'est-ce qu'un concours agricole ?

De temps en temps, les agriculteurs se réunissent pour comparer leurs animaux. Ils amènent leurs plus gros porcs, leurs plus beaux moutons, leurs meilleures vaches laitières. Les fermiers savent depuis longtemps que, dans leurs troupeaux, certaines vaches donnent plus de lait que les autres, que, dans leur poulailler, certaines poules pondent davantage. Alors, ils essaient d'élever plutôt ces animaux-là, pour n'avoir que des vaches bonnes laitières, des poules bonnes pondeuses. On dit qu'ils font une « sélection » des bêtes.

Élèvera-t-on un jour de nouveaux animaux ?

Dans la nature, vivent de très nombreux animaux. Nous n'en élevons qu'une petite partie. De plus en plus pourtant, certains fermiers essaient d'autres élevages : celui des poissons, par exemple, pour éviter de trop pêcher ceux qui vivent en liberté dans la mer. Ou celui des coccinelles, très utiles pour manger les pucerons qui dévorent les cultures. Un jour, les hommes élèveront aussi peut-être de nouveaux animaux, des croisements de ceux que nous connaissons déjà.

Pourquoi certains chevaux ont-ils des oreilles d'âne ?

Ces drôles de chevaux avec de grandes oreilles s'appellent des mulets. Ce sont les petits d'un âne et d'une jument. Ils ont l'endurance de leur père et la force de leur mère. Pendant longtemps, les fermiers les ont utilisés pour tirer les charrettes. Aux États-Unis, pendant la conquête de l'Ouest, ils traînaient les chariots sur les chemins couverts de cailloux. Ils pouvaient marcher pendant des dizaines de kilomètres sans s'arrêter.

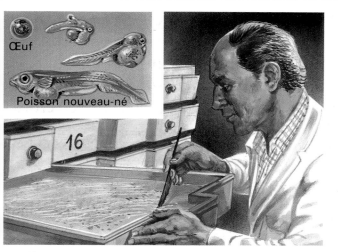

Prête pour le concours !

Ces poules pondent beaucoup

Un élevage d'œufs de poisson

Les coccinelles dévorent les pucerons

Au bord des lacs et des rivières

Libellule

Rat d'eau

Gyrins

Gerris

Héron

Martin-pêcheur

Canard

Poule d'eau

Couleuvre

Libellules
déposant leurs œufs

Rainette

Nèpe

Notonecte

Larve de libellule

Quel est ce tapis vert qui recouvre parfois les marais ?

Si tu poses la main sur le tapis vert d'un marais, elle s'enfonce. Car ce tapis n'est pas dur. Il est fait de minuscules feuilles, les lentilles d'eau, ou encore de petites fougères flottantes, sans tige. Elles recouvrent la surface de l'eau comme une peau. De longues lanières vertes, à demi noyées, parfois en fleur, envahissent aussi les étangs. Mais les nénuphars, les renoncules ou les renouées qui semblent flotter à la surface de l'eau ont en réalité de longues tiges qui s'enracinent bien solidement dans le fond.

Y a-t-il beaucoup de plantes au bord de l'eau ?

Les joncs et les roseaux, avec leurs curieuses fleurs aux couleurs ternes, en épi ou en plumeau, se sont habitués à grandir vraiment les pieds dans l'eau, un peu comme les nénuphars. Leurs bouquets touffus forment de larges bandes le long des rives, où se cachent les habitants des mares et des étangs. Sur les berges humides, fleurissent les iris, avec la menthe, le myosotis, l'ortie, la violette, le millepertuis des marais. On y trouve même des pieds de gentiane et d'orchidée. Les saules, les aulnes, les peupliers bordent aussi les fossés et les cours d'eau.

Comment vivent les algues ?

Les vraies algues restent complètement noyées. Certaines, microscopiques, flottent au milieu de l'eau. Les plus grandes s'accrochent au fond par de solides crampons. A l'inverse de celles des plantes à fleurs, ces fausses racines ne leur permettent pas de se nourrir. Ce sont leurs « feuilles » qui puisent les produits dont elles ont besoin pour grandir, aidées par la lumière du soleil. D'autres plantes de l'eau ne sont pas des algues, mais des herbes aquatiques ou de simples feuillages tombés de la rive. Ces végétaux sont les pâturages de tous les animaux brouteurs des lacs et des rivières.

Attention ! Ce beau tapis vert…

flotte sur l'eau

De nombreuses plantes aiment pousser près de l'eau

Ces plantes font des fleurs dans l'eau

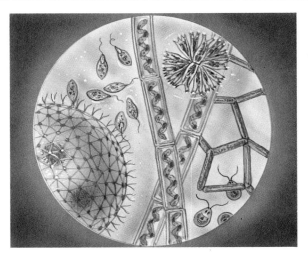
Des algues microscopiques

Les canards vivent près des étangs et des rivières...   *la poule d'eau aussi*

Est-ce que les longues pattes des hérons ne les gênent pas ?

De longues pattes fragiles, un bec pointu, un grand cou souple : le héron cendré est plutôt joli. Son corps ne le gêne pas, au contraire. En vol, il replie son cou et laisse traîner ses pattes. Dans les étangs, il marche sur le fond, comme sur des échasses. Ainsi, il peut observer par-dessus les roseaux, sans être vu, et il ne se mouille pas quand il attrape à coups de bec les grenouilles et les poissons dont il se régale. Parfois, il fait sa toilette ou prend un bain de soleil, immobile, en écartant ses ailes. L'aigrette garzette, le butor étoilé, et d'autres encore vivent comme lui.

Les hérons et les garzettes...

ont de grands nids

Pourquoi les canards plongent-ils la tête sous l'eau ?

Les canards sauvages nagent dans les marais ou sur les rivières tranquilles. Ils ont des pattes palmées qui leur servent de rames pour glisser sur l'eau sans effort. Protégés par du duvet et des plumes graisseuses, ils ne se mouillent pas et n'ont pas froid. Soudain, l'un d'eux bascule, la tête la première, en battant des pattes : on ne voit plus que son derrière. Dans cette curieuse position, il fouille la vase et arrache quelques plantes pour se nourrir. Un autre s'envole à tire-d'aile, en courant sur l'eau. Près d'eux vivent aussi des grèbes, des poules d'eau, des harles.

Certains oiseaux pêchent-ils vraiment ?

Perché sur une branche, le martin-pêcheur surveille la rivière. Brusquement, il se laisse tomber, plonge et ressort avec un poisson pincé dans le bec. Il l'avale, en commençant par la tête, ou l'offre à sa femelle pour la séduire. Son repas terminé, l'oiseau recrache une petite boulette : ce sont les arêtes qu'il ne peut pas digérer. Un rapace rare, le balbuzard pêcheur, se jette en plein vol sur les poissons et les emporte dans ses puissantes serres. Le cincle plongeur, lui, nage, et il marche même sous l'eau pour trouver sa nourriture.

Le martin-pêcheur

Le balbuzard et le cincle plongeur

165

Voit-on toujours les mêmes oiseaux près de l'eau ?

De nombreux oiseaux vivent toute l'année autour des cours d'eau ou des marais. Certains pourtant ne restent chez nous qu'aux beaux jours. La sarcelle d'été, le phragmite des joncs, l'hirondelle de rivage, la cigogne blanche gagnent en hiver des pays chauds. A l'inverse, les cygnes ou les oies sauvages arrivent avec le froid. Les régions d'où ils viennent sont alors gelées, couvertes de neige et de glace. D'autres oiseaux enfin, tels les chevaliers et les grues, traversent simplement notre pays et vont nicher plus loin.

Les sarcelles et le phragmite

Les cygnes sauvages en hiver

Que font les flamants rassemblés en grands troupeaux ?

Les flamants sont des oiseaux magnifiques, des princes en costume de fête. Ils déroulent leur cou souple et, la tête à l'envers, ils filtrent l'eau vaseuse dans leur bec recourbé. Ils aiment les débris de plantes et les petits animaux. Les jeunes viennent cogner le bec de leurs parents pour qu'ils leur mettent cette nourriture dans le gosier. Les flamants aiment se regrouper autour des étangs tièdes de la mer Méditerranée, en Camargue surtout. Là, au milieu des chevaux blancs et des taureaux noirs, ils restent ensemble pour élever leurs petits.

Comment sont les nids des oiseaux de l'eau ?

Il y en a de toutes sortes ! Le martin-pêcheur creuse un terrier dans la berge. Les canards sauvages déposent leurs œufs sur un matelas de duvet qu'ils arrachent de leur poitrine et arrangent délicatement sur le sol. Le grèbe huppé fixe solidement dans l'eau des brindilles ou des roseaux. Ensuite, il entasse des algues et des herbes pour se faire une véritable île flottante. Juste au ras de l'eau, ce nid est presque impossible à découvrir. La rousserolle tresse sa petite maison entre les tiges des roseaux, et le héron construit son vaste refuge sur les branches des grands arbres.

Le nid du martin-pêcheur...   *du grèbe...*   *et de la rousserolle*

Les flamants roses se regroupent autour des étangs et des lacs des pays chauds

A qui sont tous ces terriers, juste sous l'eau ?

Tu penses peut-être que tous les rats, les campagnols, les musaraignes vivent dans les champs. Pas du tout. Le campagnol amphibie, ou rat d'eau, habite un terrier qui s'ouvre en général sous l'eau. Là, il mange des plantes ou de petits animaux mous, sans os. Une musaraigne se nourrit d'insectes d'eau et de poissons nouveau-nés. Et les rats musqués, aussi gros que des lapins, nagent très bien. Parfois, ils construisent des huttes en roseaux pour s'abriter. Mais en général, ils creusent tant de terriers dans les rives qu'ils les détruisent.

Existe-t-il encore des castors ?

Bien sûr. Mais ils ont été tellement chassés qu'il n'en restait presque plus. On a décidé d'en remettre dans nos rivières. Les castors sont en effet très utiles : ils entretiennent les berges. Ce sont d'infatigables constructeurs de barrages. Ils vivent en famille dans une « maison » qui dépasse de l'eau, et où ils rentrent par le plancher. Ils se nourrissent d'écorces et de racines. Leur queue en forme de raquette leur sert de gouvernail... et de claquoir pour prévenir leurs compagnons qu'un danger les menace. Grâce aux palmes tendues entre les doigts de leurs pattes, ils nagent bien.

Où vivent les loutres ?

Comme le castor, la loutre est devenue très rare. Elle habite un nid sur la berge, installé entre les racines d'un arbre. Son entrée se trouve sous l'eau, mais il reste toujours bien sec, aéré par une véritable cheminée. Le corps long et fin de la loutre lui permet de plonger facilement dans le courant, où elle cherche un poisson, une grenouille, un petit rongeur à dévorer. Comme la loutre, le putois et le vison peuvent chasser dans les rivières. Ces mammifères laissent sur leur passage une odeur forte, mais ils sont très difficiles à voir.

Les rats et les musaraignes d'eau…   *creusent des terriers dans les rives*

Les castors construisent des barrages et des « maisons » en forme de hutte

Les loutres chassent sous l'eau. Elles laissent leurs traces sur la rive

Les serpents savent-ils nager ?

En plein été, les vipères prennent parfois un bain pour se rafraîchir. Mais les vrais serpents d'eau sont des couleuvres. Leur corps peut atteindre 1,50 mètre de long. Les couleuvres nagent très bien, en fendant la surface avec leur tête, et savent même plonger pour poursuivre leur proie sous l'eau. Elles sont carnivores : grenouilles, poissons, petits rongeurs, rien ne semble trop gros pour leur gueule qui s'ouvre comme un gouffre. Une tortue d'eau douce, la cistude, aime bien nos rivières. En hiver, elle se cache dans la vase pour avoir moins froid, mais elle est devenue rare.

La couleuvre et la tortue d'eau

Qui sont ces curieux lézards dans l'eau ?

Si un lézard des murailles tombe dans l'eau, il nage très vite pour en sortir. Certains animaux, bruns et noirs, qui leur ressemblent beaucoup, vivent dans les étangs. Pourtant, ce ne sont pas des lézards, mais des tritons, cousins des grenouilles. Ils naissent dans l'eau et y passent presque tout leur temps. Même adultes, ils gardent leur longue queue. Au printemps, les mâles cherchent les femelles pour faire leurs petits. Ils ont alors sur le corps une sorte de crête qui leur donne un air de dragon. Leur parente, la salamandre, jaune et noire, préfère les mousses et les feuilles humides.

Les grenouilles pondent-elles sous l'eau ?

Au printemps et en été, les grenouilles vertes ou rousses pondent dans les fossés et les mares. Leurs grappes d'œufs se mélangent aux tiges noyées, tombent sur le fond ou flottent à la surface. Quand ils ont éclos, les nouveau-nés, les têtards, ne ressemblent pas du tout à leurs parents. Ce sont des boules noires, sans pattes, avec une longue queue. Ils respirent par des branchies, comme les poissons. A mesure qu'ils grandissent, leur longue queue disparaît, leurs pattes poussent et s'allongent. Enfin, un jour, de vrais poumons leur permettent de respirer à l'air libre.

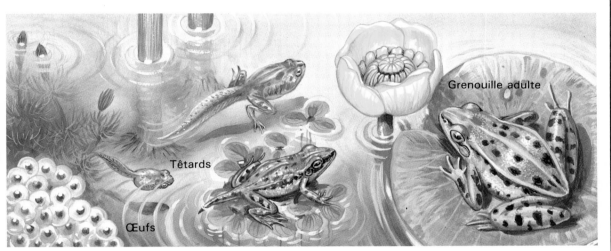

Les têtards sortent des œufs des grenouilles avant de devenir des adultes.

Les tritons ne sont pas des lézards

La salamandre non plus

L'argyronète est une araignée qui tisse sa toile sous l'eau

Y a-t-il des animaux qui marchent sur l'eau ?

Les petits gerris...

Il fait chaud. A la surface des eaux tranquilles, d'étranges petits animaux marchent sur l'eau, sans couler. Avec leurs six pattes, ce sont des insectes, les gerris. Au bout de leurs longues jambes, des poils microscopiques, couverts de graisse, flottent comme des bouées. Au milieu des poils, une sorte de griffe « agrippe » l'eau et permet aux gerris de lutter contre le courant. Malgré leur taille, ces animaux sont carnivores. Pour se nourrir, ils percent leur proie avec une trompe dure et la sucent complètement.

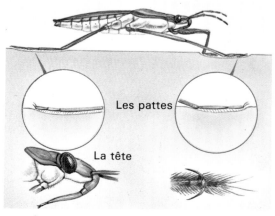
Les pattes

La tête

marchent et mangent sur l'eau

Des araignées vivent-elles dans l'eau ?

Les araignées tissent leur toile partout, même au bord des rivières et des marais. Deux d'entre elles sont vraiment étonnantes. Elles vont sous l'eau. Le dolomedes fait de rapides plongeons pour capturer ses proies. L'argyronète est encore plus surprenante. Entourée de bul-les d'air accrochées à ses poils, elle tend sa toile, aussi serrée qu'un tissu, entre les plantes aquatiques. Ensuite, elle la gonfle comme un ballon, avec de l'air qu'elle va chercher à la surface. Puis, à l'abri sous sa cloche, l'argyronète respire, chasse et surveille ses petits, bien protégés dans leur coussin d'air toujours sous l'eau.

Pourquoi certains insectes restent-ils près des étangs ?

Tout simplement parce qu'ils naissent dedans ! Ainsi, les libellules, les « demoiselles », pondent leurs œufs dans les étangs, les ruisseaux, ou à l'intérieur des plantes aquatiques. Les nouveau-nés sont des larves sans ailes. Celles-ci res-pirent sous l'eau grâce à des branchies. Elles portent à l'avant de la tête un masque puissant qui leur permet de dévorer des têtards ou des vers. Les jeunes larves de moustiques, elles, se tortillent à la surface des mares ou des flaques sales pour respirer. Plus tard, leur étui de peau s'arrondit : les futurs moustiques se préparent à sortir.

Les libellules...   *pondent dans l'eau...*   *où naissent les larves*

Quel est ce petit grain qui fait des ronds sur l'eau ?

C'est le tourniquet, que les biologistes appellent gyrin. Ses ailes sont cachées sous une carapace dure qui s'ouvre de chaque côté, comme des volets : cet insecte est un cousin des hannetons. Posé sur l'eau, il ressemble à une barque et nage en tournoyant. Il aime bien manger des œufs, des larves ou même des insectes tombés dans la rivière. Ce chasseur est d'ailleurs bien équipé. Le bas de ses yeux regarde sous l'eau pendant que le haut surveille le ciel. Pour repérer ses proies, il se sert également de ses deux antennes. Il sait aussi plonger pour échapper au danger.

Les gyrins tournoient sur l'eau

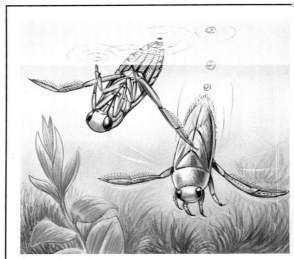

La notonecte nage...

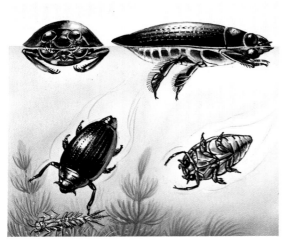

Leurs quatre yeux les aident à chasser

Est-il vrai qu'une punaise nage le ventre en l'air ?

Ce curieux insecte ailé nage renversé, accroché sous la surface de l'eau, comme une mouche au plafond ! Ses deux dernières pattes longues et velues, rament puissamment. Sur son ventre, les poils emprisonnent des bulles d'air qui lui servent de flotteurs. Cette

Le scorpion d'eau est-il un vrai scorpion?

Les insectes sont les animaux les plus nombreux de la Terre. Les libellules, les gyrins, les notonectes peuvent vivre sous l'eau, au moins quelque temps. La nèpe aussi. Suspendue aux algues, elle reste là, la tête en bas. Pour respirer, elle laisse dépasser à la surface une sorte de tube, comme une queue. Mais elle plonge aussi très bien pour attraper des vers, des larves ou d'autres insectes. Elle les maintient dans ses pattes crochues pendant que sa trompe les transperce et les suce lentement. C'est ainsi qu'elle se nourrit. Elle a vraiment l'air d'un scorpion, mais c'est bien un insecte.

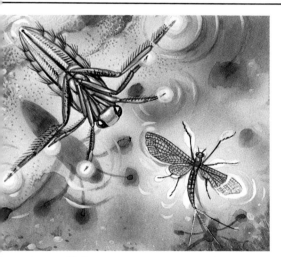

...e ventre en l'air

...unaise d'eau, la notonecte, ...évore d'autres insectes. Sur le sol, ...es « rames » l'encombrent. mais, ...a nuit venue, elle s'envole dans les ...irs. Si tu essayes de l'attraper, fais ...ttention : elle pique fort !

La nèpe est un insecte

Nèpe   Scorpion

Ce n'est pas un scorpion

L'éristale est une mouche…

Larve

qui naît dans les eaux très sales

Les dytiques savent voler…

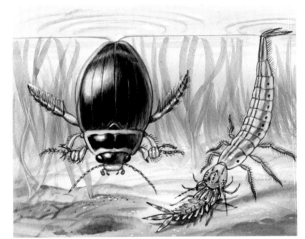

et plonger !

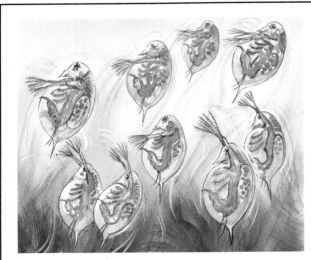

Les « puces » d'eau

Les collemboles sautent à coups de queue

Des animaux vivent-ils dans l'eau très sale ?

Au printemps ou en été, on peut voir une curieuse mouche qui butine. Elle ressemble à une guêpe ou une abeille. Mais si tu la regardes bien, tu verras qu'elle n'a pas quatre ailes, mais seulement deux, et pas de dard. On l'appelle l'érisale. Sa larve, une sorte de gros ver à « queue de rat », grandit dans les eaux très sales. Pour pouvoir respirer, elle étire jusqu'à la surface un tuyau, beaucoup plus long qu'elle.

Quels sont les insectes qui plongent dans les étangs ?

Ce sont souvent des dytiques. Ce nom signifie « plongeur » en grec, une langue que les savants utilisent, avec le latin, pour donner des noms aux plantes et aux animaux. On reconnaît ces insectes à leur carapace bordée de jaune qui se referme sur les ailes, car ces plongeurs savent aussi voler. Quand ils sont dans l'eau, leurs longues pattes arrière ramènent l'air à la surface sous la carapace, pour qu'ils puissent respirer. Avec leur gueule puissante, les dytiques sont de redoutables chasseurs. Il ne faut jamais les mettre dans un aquarium, car ils dévorent les poissons !

Existe-t-il vraiment des puces d'eau ?

De petits animaux sautent dans l'eau, mais ce ne sont pas de vraies puces. Ces minuscules crustacés, parents des crabes et des écrevisses, s'appellent des daphnies. Elles ont un corps transparent qui laisse voir tout l'intérieur. Elles nagent par saccades en faisant battre leurs grandes antennes. Pendant l'été, ne vivent que des daphnies femelles. Quelques mâles seulement naissent juste avant l'hiver. D'autres « puces », les collemboles, bondissent à la surface de l'eau : ces insectes très simples ont une queue qui se détend comme un ressort, et ils se déplacent ainsi, en sautant.

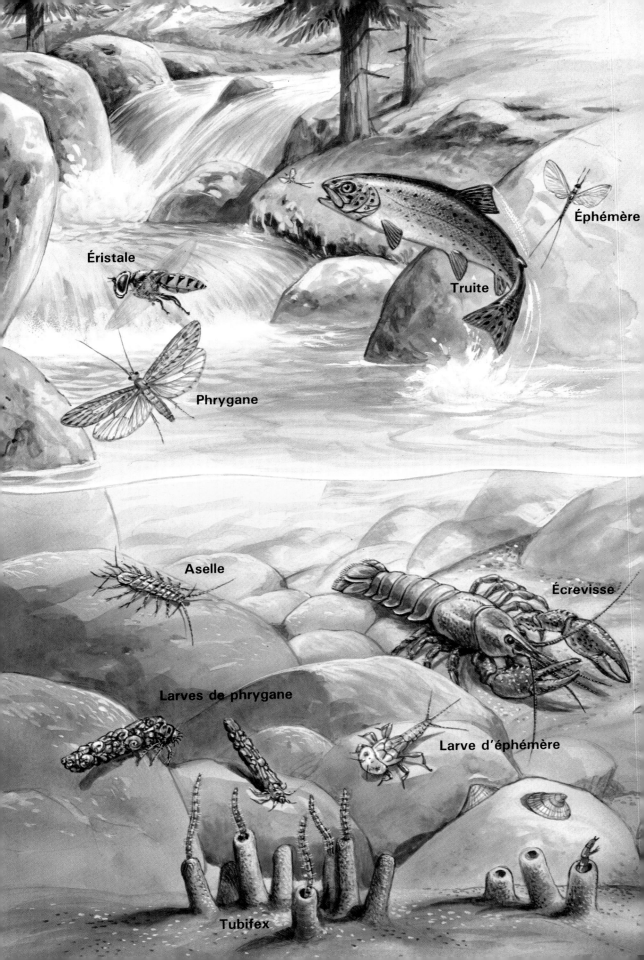

Éristale

Éphémère

Truite

Phrygane

Aselle

Écrevisse

Larves de phrygane

Larve d'éphémère

Tubifex

Au fond des eaux douces

Bouvières

Dytique

Gammare

Sangsue

Escargot d'eau

Moules d'eau douce

Hydre

Existe-t-il des microbes dans l'eau ?

L'eau des rivières...

contient des millions de microbes

Oui, et ils sont même très nombreux. C'est un monde fantastique. Des algues minuscules s'y multiplient parfois si vite que tout un étang, ou une mare, devient alors verdâtre. Pourtant, chacune passerait par le chas d'une aiguille. Une seule goutte en abrite des milliers. Parmi ces algues, flottent des animaux microscopiques : des infusoires, des amibes. Les biologistes disent que leur corps microscopique est une seule cellule, comme un petit sac. Les bactéries sont encore plus simples. Avec les minuscules bêtes de l'eau, tous ces microbes forment le plancton.

A quoi sert le plancton microscopique ?

Sans les bactéries, les eaux seraient si sales que rien ne pourrait y vivre. Elles détruisent les cadavres des animaux morts, les vieilles feuilles et presque tous les déchets jetés dans les rivières et les étangs. Elles se mangent même entre elles. Bien « engraissées », elles sont avalées par les autres microbes du plancton et par tous les vermisseaux qui filtrent l'eau. A leur tour, ces animaux seront mangés par d'autres larves plus grosses, que captureront ensuite les insectes, les têtards ou les poissons. Le plancton microscopique, c'est une réserve de nourriture pour les animaux de l'eau.

Comment peuvent-ils manger ?

Les animaux microscopiques à une seule cellule n'ont pas vraiment de bouche ni d'estomac. Les infusoires se nourrissent en faisant passer l'eau dans une sorte d'entonnoir qui retient les minuscules algues et les bactéries. Elles se déplacent en agitant les cils qui les recouvrent. Les amibes attrapent les petites proies avec leurs tentacules, sortes de pieds qui leur permettent aussi de « marcher ». Tous ces microbes peuvent être engloutis avec les algues du plancton par des animaux guère plus gros qu'un grain de riz !

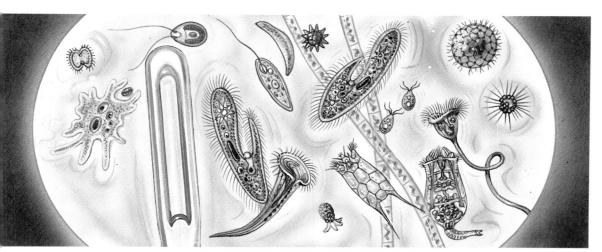

Les algues du plancton peuvent passer par le trou d'une aiguille

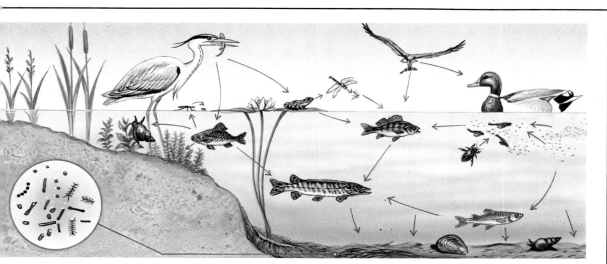

Dans l'eau, comme en plein air, les gros animaux mangent les plus petits

Au fond des torrents ou dans les marécages, chaque animal vit à l'endroit qui lui convient le mieux

Que vont chercher les pêcheurs dans la vase ?

Tous les pêcheurs savent trouver des « vers de vase ». Leur corps rouge sang n'est pas aussi mou que celui des vrais vers. En réalité, ce sont les larves d'un moucheron. Elles respirent par la peau. Les nèpes, les futures libellules, les têtards s'en régalent. D'autres petits animaux s'enfoncent aussi dans la vase. Le fond des ruisseaux tranquilles porte ainsi parfois des taches rouges. C'est une colonie de tubifex. De véritables vers, cette fois, qui vivent à moitié enfouis dans un petit tube de boue. Au moindre danger, chacun disparaît dans son abri.

Les « vers de vase »...

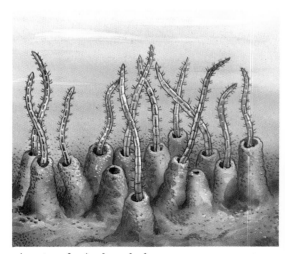

vivent enfouis dans la boue

A quoi ressemble le fond des rivières ?

En traversant la campagne, le courant emporte tout : galets, graviers, sable, terre. Au fond du torrent ou de la rivière rapide, les pierres sont nues, parfois recouvertes d'une « mousse » glissante. De nombreuses larves et quelques poissons vigoureux y sont installés.

Dans les eaux plus calmes, le sable se dépose. Les animaux s'en méfient, car il se déplace sans cesse. Dans les fonds vaseux des étangs ou les ruisseaux tranquilles, les larves et les vers grouillent, les joncs et les algues plantent leurs racines et leurs crampons.

Y a-t-il beaucoup de larves au fond de l'eau ?

Les poissons, tu les vois facilement. Mais en réalité, là où on compte seulement quelques dizaines de poissons différents, vivent plusieurs centaines d'espèces d'insectes. Ils pondent tous leurs œufs dans l'eau. Mais les larves de moustique, de taon, de moucheron mettront des semaines, des mois, des années parfois à changer et à ressembler un jour à leurs parents. A leur tour, ils pondront des œufs, qui deviendront des larves...

On peut ramasser des larves...

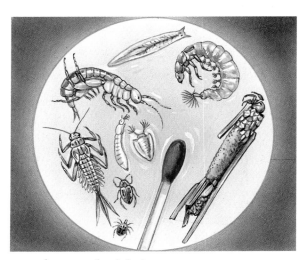

pour les regarder à la loupe

Trouve-t-on des coquillages au fond des rivières ?

Les coquillages ne vivent pas seulement au fond de la mer. Certains grandissent dans les rivières, les lacs. Les moules d'eau douce s'accrochent en grappes aux pierres par une sorte de touffe de poils collants. D'autres s'enfoncent dans le sable ou la vase, grâce à un « pied » musclé, et laissent dépasser de petites trompes pour aspirer l'eau et la rejeter. Pour se nourrir, ces animaux filtrent l'eau pour retenir les plus petits débris, avant de la recracher. Leur corps mou est protégé par deux coquilles qui se referment l'une vers l'autre, comme un livre.

Y a-t-il aussi des escargots ?

Sous l'eau, il existe des coquillages de toutes sortes. Les escargots sont des coquillages à une seule coquille : des planorbes, plats comme des roues, des limnées, pointues comme des bonnets, des ancyles, en forme de chapeau chinois. Ils sortent la tête de leur coquille pour brouter tranquillement en rampant sur leur long pied. Cependant, ils ont des poumons et doivent de temps en temps remonter à la surface pour respirer un grand coup. D'autres escargots d'eau ont des branchies et ne sortent jamais de l'eau.

Les sangsues sucent-elles vraiment le sang ?

Grisâtres et molles comme des limaces, les sangsues ne sont pas très sympathiques. Ces vers, qui peuvent mesurer dix centimètres de long, possèdent une ventouse à chaque extrémité de leur corps. Pour se nourrir, elles se collent sur les poissons, les grenouilles, ou les jambes, et sucent le sang de leurs victimes. Comme les escargots, elles sont à la fois mâle et femelle. Autrefois, on se servait des sangsues pour enlever du sang à certains malades ; on pensait que cela leur ferait du bien !

Ces coquillages de rivière...

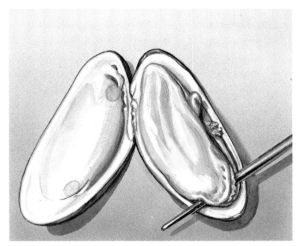

ressemblent à des moules

Certains escargots d'eau...

viennent respirer à la surface

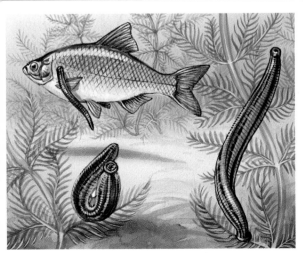

Les sangsues se collent sur les poissons

Ce sont des vers

185

Pourquoi certains cailloux sont-ils glissants ?

Certains cailloux sont couverts de minuscules animaux qui vivent les uns contre les autres. Ce sont des bryozoaires, ce qui veut dire « mousse animale ». Installée sur les pierres ou les plantes aquatiques, leur colonie ressemble à de la mousse gluante. Mais dans les ruisseaux ou les mares, d'autres cailloux portent une sorte de bave bleu-vert faite d'algues microscopiques. Elles existaient déjà sur Terre à l'époque préhistorique, bien avant les dinosaures. Certaines algues bleues arrivent même à pousser dans l'eau d'une source brûlante !

Certaines « mousses » sont très glissantes

Y a-t-il des éponges dans les rivières ?

Les éponges sont parmi les animaux les plus simples qui existent. Leur corps est une grappe de cellules. Cette sorte de sac, sans cesse traversé par l'eau, retient les minuscules débris flottants dont elles se nourrissent. La plupart vivent dans les océans, mais quelques-unes grandissent en eau douce. Dans les lacs et les rivières, elles sont serrées les unes contre les autres. Elles forment par endroits une croûte ou une touffe jaunâtre accrochée à une pierre ou une branche, juste au-dessous de la surface.

Existe-t-il des méduses d'eau douce ?

Les méduses ne vivent que dans la mer. Mais dans les rivières, tu peux ramasser d'étranges animaux mous, qui sont leurs cousins, les hydres. Leur petit corps est un simple tube transparent. Elles se déplacent en faisant des culbutes et se fixent sur une feuille ou une brindille par leur pied-ventouse. A l'autre bout, autour de la bouche, une étoile de tentacules empoisonnés s'agite sans cesse. Pour faire leurs petits, les hydres font des sortes de bourgeons, comme les plantes. Ensuite, ces « pousses » se détachent de leur mère. Même un morceau de tentacule suffit à refaire une hydre entière.

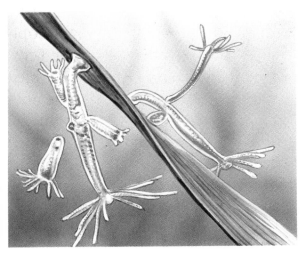

Les hydres...

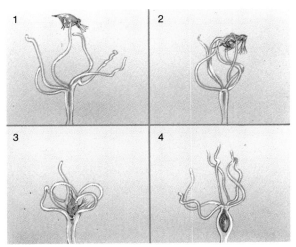

peuvent capturer des puces d'eau

Sur quelques branches...

on peut même voir des éponges

Sur les pierres du fond,...   *d'étranges brindilles...*   *abritent les larves*

Est-il vrai qu'un insecte ne vit qu'une journée ?

L'éphémère est un insecte qui naît dans l'eau, comme beaucoup d'autres. Au mois de mai, le « papillon » adulte s'envole en traînant sa longue queue. Il a juste le temps de pondre : au bout de quelques heures, il meurt, sans avoir jamais mangé. Ses larves

Les éphémères...

Comment les larves arrivent-elles au fond de l'eau ?

De mille façons différentes ! Certaines éphémères plongent pour pondre. D'autres lâchent leurs œufs en plein vol. Les phryganes choisissent le dessous des feuilles flottantes comme berceau pour leurs petits, les nèpes placent leurs œufs dans une plante aquatique, et certaines larves rentrent dans l'eau après leur éclosion. Quant aux taons, ils sont prudents et pondent lorsque les flaques sont sèches. Les animaux au corps mou, comme les sangsues et les escargots d'eau, déposent aussi leur ponte collante sur une pierre, une tige, une algue, pour attendre l'éclosion.

ourquoi certaines pierres sont-elles couvertes de brindilles ?

C'est le nid des curieux « porte-bois ». Ces larves d'insectes, les phryganes, bâtissent autour d'elles un abri de brindilles, de feuilles mortes, de grains de sable, collés par une sorte de soie. Elles s'y cramponnent si fort qu'il est diffi-cile de les en faire sortir. Certaines tissent même de petits filets de pêche. Une fois adultes, les phryganes portent de grandes ailes velues qu'elles tiennent étalées au-dessus de leur corps. Mais elles ne vivent dans l'air que quelques semaines.

naissent au fond de l'eau

portent deux antennes et trois queues, comme une longue four-che velue. Sur leur dos, juste der-rière de petites ailes naissantes, des sortes de plumes battent l'eau. Ce sont les branchies qui permettent à ces larves de respirer tant qu'elles restent dans la rivière. Certaines aiment les torrents, d'autres les ruisseaux calmes.

Regarde bien sous l'eau...

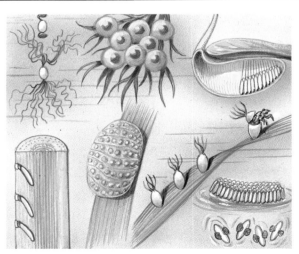

il y a de petits œufs

Est-ce que le courant emporte les petits animaux du fond ?

Au fond d'une rivière, d'un torrent, l'eau court et fait des tourbillons entre les pierres. Les larves, les vers s'accrochent par des pattes griffues, des ventouses, des fils, de la « gélatine » qui colle. Certains animaux profitent d'un gros caillou et s'installent derrière, bien à l'abri. D'autres se placent la tête face au courant, qui glisse ainsi le long de leur corps sans les emporter. Quelques-uns restent enfouis, bien cachés dans la vase. Parfois pourtant, l'eau les entraîne. Plus tard, ils remonteront peut-être la rivière... en volant cette fois.

Comment les insectes sortent-ils de l'eau ?

Tu regardes des larves sous l'eau, transparentes, « plumeuses », crochues. Soudain, tu vois s'envoler une magnifique libellule, un nuage de moustiques, un vol d'éphémères. Comment cela s'est-il passé ? Imagine la naissance d'une libellule. Lorsque la larve est prête à devenir adulte, elle se hisse en plein air en escaladant une tige, un roseau. Peu après, elle fend son enveloppe sur le dos et sort péniblement de son scaphandre devenu inutile. Aussitôt, elle déploie ses ailes fripées et les laisse sécher au soleil. Puis elle s'élance pour son premier vol. Elle est devenue une libellule adulte.

Y a-t-il des crevettes dans les ruisseaux ?

Ces petits animaux plats, couchés sur le côté dans leur carapace transparente, ne sont pas des crevettes, mais des gammares. Parfois, les mâles et les femelles se déplacent ensemble, solidement agrippés l'un à l'autre. D'autres animaux ressemblent un peu aux crevettes : ce sont des aselles d'eau qui se nourrissent de débris divers, et même de crottes. Il existe cependant de vraies crevettes d'eau douce. Elles sont presque jumelles des « bouquets » qui vivent dans les mers.

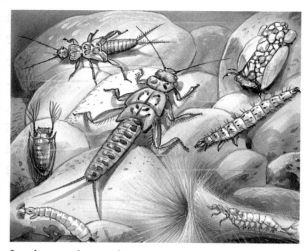

Les larves s'accrochent sur le fond

Les insectes adultes s'envolent

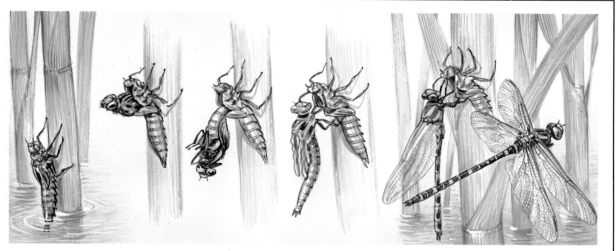

Lorsque la libellule est capable de s'envoler, elle sort de l'eau

Des aselles…

des gammares…

une crevette d'eau

Pourquoi les écrevisses marchent-elles à reculons?

Les écrevisses avancent en marchant, comme tout le monde ! Mais, pour nager, elles donnent de rapides coups de queue en repliant leur corps, et elles partent en arrière. Ces cousines des homards aiment les ruisseaux à l'eau courante et claire. Plusieurs fois par an, pour grandir, elles changent leur carapace. Les mères écrevisses gardent longtemps leurs œufs, puis leurs petits entre leurs pattes. Ils apprennent ainsi, sans danger, à chasser ou à brouter quelques plantes. Mais attention au rat d'eau ou à l'anguille qui les guette !

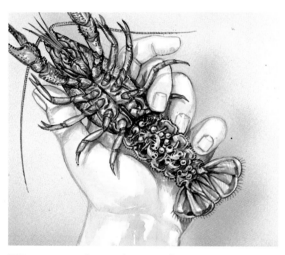

Les écrevisses marchent sur le fond

Elles portent les petits sous le ventre

Des animaux peuvent-ils vivre dans les rivières souterraines?

Au fond de certaines grottes coulent des rivières que la lumière du soleil ne réchauffe jamais. Dans cette nuit où aucune algue ne peut pousser, quelques bêtes réussissent pourtant à vivre. Elles mangent les restes des animaux morts et les débris apportés par l'eau. Des aselles, des gammares, des coquillages nains restent ainsi, sous terre, sans jamais venir au jour. Un curieux cousin des tritons s'est ainsi installé dans les grottes de Yougoslavie. En Amérique, il existe aussi un poisson de grotte. Ces animaux sont blanchâtres, sans couleur, et souvent totalement aveugles.

Les animaux des rivières sont-ils les mêmes partout ?

Les animaux des rivières sont en fait très différents selon les régions. De nombreux oiseaux, par exemple, changent de pays suivant les saisons. En Afrique, parmi les herbes des grands fleuves, vivent des crocodiles et des hippopotames, taquinés par des insectes cousins de ceux que nous connaissons. De la même manière, les poissons choisissent pour vivre des endroits particuliers, des ruisseaux glacés ou des rivières tropicales.

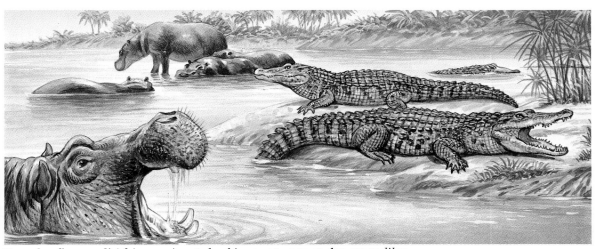

Dans les fleuves d'Afrique, vivent des hippopotames et des crocodiles

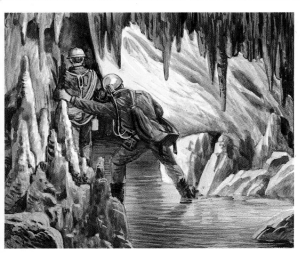

Même au fond des grottes...

on rencontre quelques rares animaux

Au pays des poissons

Perche

Carpe

Chevaine

Épinoche   Hotu

Truite

Ablettes

Brochet

Vairon

Barbeau

Chabot

Les herbes d'eau et les algues sont les haies et les bois des poissons

La truite pond sur le fond

Un couple de bouvières

Le nid de l'épinoche

Après l'éclosion,...

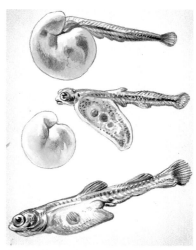

les petits poissons...

grandissent vite

Les poissons aiment-ils les plantes de l'eau ?

Dans les champs, les oiseaux, les papillons vivent dans les haies et les grandes herbes où ils s'abritent et cherchent leur nourriture. Sous l'eau, c'est la même chose : les poissons aiment se glisser entre les algues et les plantes. Là, ils se cachent de leurs ennemis. La perche et le brochet, au contraire, y attendent leurs proies. D'autres broutent, comme les carpes et les gardons, ou capturent des œufs, des larves et des insectes. Beaucoup de femelles pondent au milieu de ces tapis verts, qui sont un peu les prairies des poissons.

Les poissons font-ils des nids pour pondre ?

Il existe des « berceaux » de poissons très étranges. La truite balaie le fond avec sa queue avant de pondre, puis recouvre ses œufs de gravier. La bouvière, guère plus grosse qu'un doigt, recherche les moules d'eau douce. Elle dépose sa ponte à l'intérieur de leur coquille grâce à une sorte de tube. La moule en fait autant ; à son tour, elle « crache » ses propres larves sur le corps de la bouvière ! Le mâle épinoche, petit poisson à épines, très coloré au printemps, attire sa femelle dans un tunnel d'herbes qu'il a tressées. Puis, avec ses nageoires, il fait un courant d'eau sur les œufs.

Comment naissent les petits poissons ?

Les petites bouvières ne pondent qu'une quarantaine d'œufs, les grosses carpes plusieurs centaines de milliers. Mais chez tous les poissons, au moment de la ponte, le mâle arrose les œufs, minuscules billes gélatineuses, avec sa laitance, pour que des petits puissent se former à l'intérieur. A la naissance, les nouveau-nés ont de gros yeux ronds et un ventre énorme. Ce « sac » est une réserve de nourriture pour les jeunes tant qu'ils ne sont pas capables d'ouvrir la bouche pour manger tout seuls. Souvent, les larves, très fragiles, ne deviennent pas adultes : elles sont dévorées avant.

Est-il vrai que les brochets mordent ?

Dans les grandes rivières calmes et les étangs, le brochet se cache au milieu des algues. Il attend, immobile. Il voit très bien et c'est un excellent chasseur. Soudain, il démarre à toute vitesse. D'un coup de queue, il bondit sur une troupe d'ablettes, sur un goujon surpris ou une perche malade, et il engloutit sa proie, au risque de s'étouffer. Malgré ses quelques centaines de dents, il ne prend pas le temps de mâcher sa nourriture. Mais il peut mordre quand on le pêche !

Le brochet…

est un poisson très vorace

Les « moustaches » des poissons…

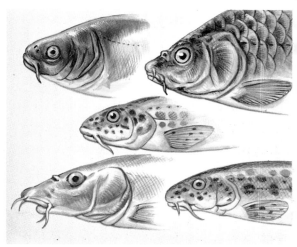

leur servent à tâter le fond

198

Pourquoi les poissons ouvrent-ils toujours la bouche ?

Les poissons respirent dans l'eau...

grâce à leurs branchies

Dans leur aquarium, les poissons ouvrent toujours la bouche. C'est ainsi qu'ils se nourrissent... et respirent. Car les poissons n'avalent pas toute l'eau qu'ils aspirent. Ils referment leur bouche et leur gorge et la font ressortir par des sortes de volets qui bâillent derrière leur tête. Sous ces volets, se trouvent des « éventails » rouge sang, les branchies. En les traversant, l'eau apporte au poisson l'oxygène dont il a besoin. Voilà comment les poissons prennent dans l'eau ce gaz que toi, tu prends dans l'air grâce à tes poumons.

A quoi servent les barbes des poissons-chats ?

Huit « moustaches » s'agitent autour d'une large bouche capable d'engloutir n'importe quelle proie. Ce sont les barbillons que le poisson-chat, véritable monstre des rivières, laisse onduler quand il nage dans les eaux vaseuses. Ils l'aident à reconnaître sa route, à se faufiler entre les algues et à trouver sa nourriture. Un poisson de cette famille qui vit dans certains fleuves d'Europe dépasse parfois 2 mètres de long ! Comme lui, les loches, les barbeaux, les goujons, les carpes ont des barbillons pour tâter le fond.

Pourquoi les poissons sont-ils gluants ?

La peau des poissons est souvent couverte d'écailles. Placées comme les tuiles d'un toit, elles permettent à l'eau de bien glisser sur leur corps. Cette peau produit également une sorte de bave gluante. Elle aide le mouvement des écailles quand le poisson remue et le pro-tège contre les maladies. La forme du corps des poissons est aussi très importante pour eux. Ainsi, les cha-bots reposent souvent leur ventre plat sur le fond. Les carpes ou les perches, aplaties en galettes sur les côtés, se faufilent entre les herbes. Les truites ou les vairons effilés sont bien faits pour remonter sans peine le courant.

Ce n'est pas facile d'attraper les poissons à la main, comme les hommes préhistoriques !

Que voient les poissons au fond de l'eau ?

Les yeux des poissons sont faits pour voir sous l'eau, bien entendu ! Pourtant, ils ne sont pas sur le devant de leur tête, comme les tiens, mais sur les côtés. Ils peuvent ainsi regarder presque partout en même temps. Ils aperçoivent même la silhouette des pêcheurs sur la

Les yeux des poissons...

Comment sont les abris des poissons ?

Pour se reposer ou se cacher, les poissons savent trouver des abris. « Nids » de racines qui plongent sous l'eau depuis la berge, « forêts » d'algues, mais aussi petites « grottes » rocheuses. La truite et le vairon aiment se réfugier sous les pierres. La bouvière, la loche s'enfoncent dans la vase. Un poisson plat, le flet, a un bon moyen pour se cacher sur le fond des fleuves, près de la mer : il se confond parfaitement avec le sable.

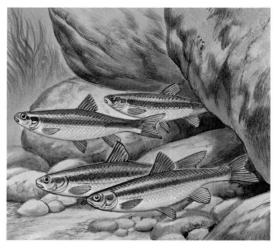

Les vairons vont sous les pierres...

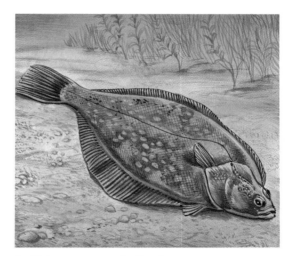

le flet se pose sur le fond

voient très bien sous l'eau

rive ! En revanche, ils ne voient pas vraiment les objets en relief. Les poissons n'ont pas besoin de voir très loin. Ils sont surtout habitués à repérer tout ce qui bouge, le moindre mouvement, même dans l'eau trouble. Ils distinguent aussi certainement les couleurs, mais pas tout à fait comme nous.

Sous la glace, les animaux passent l'hiver

Les poissons se battent-ils ?

Certains poissons, comme les perches ou les truites, se jettent sur leurs proies, d'autres se battent entre eux. Ainsi, le poisson-chat en attaque un autre lorsqu'il vient sur son territoire. L'épinoche qui fait son nid chasse tous ses voisins. Le combattant du Siam est terrible. Il vit dans les rivières d'Asie, et dans

Les poissons-chats se battent parfois...

Les poissons se parlent-ils ?

Comment se parler quand on n'a pas de voix ? Pour attirer sa femelle, le mâle épinoche change de couleur, puis lui mordille la queue pour la faire pondre. Les poissons ont une ligne sombre dessinée sur le corps, qui « enregistre » les mouvements de l'eau. On l'appelle la « ligne latérale ».

Grâce à elle, les poissons qui vivent en groupe arrivent à rester ensemble. Ils utilisent aussi un autre moyen pour se « parler » : les odeurs. Un vairon blessé libère un produit qui avertit ses compagnons du danger. L'anguille « sent » ses proies approcher, et le saumon retrouve sa rivière natale à son odeur.

Les poissons n'ont-ils pas trop froid en hiver ?

Près des sources, dans les ruisseaux et les lacs de montagne, l'eau n'est jamais chaude. Le corps des poissons y est habitué. L'eau des grands fleuves, au contraire, est souvent tiède en été... et gèle parfois en hiver. Quand ils le peuvent, certains poissons essaient alors d'aller s'installer ailleurs. D'autres descendent plus en profondeur, là où il fait plus doux, ou, engourdis, ils se réfugient parmi les algues. Ils évitent les efforts et se nourrissent moins. Car le sang des poissons devient toujours aussi froid, ou aussi chaud, que l'eau qui les entoure.

les combattants aussi

nos aquariums. Lorsqu'un mâle en aperçoit un autre, il « gonfle » furieusement ses nageoires, change même de couleur. Si cela ne suffit pas, il se jette sur son compagnon et le tue à coups de dents !

Les épinoches se mordillent

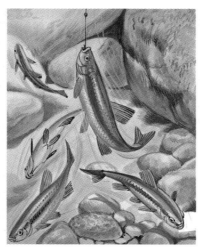

Les vairons s'enfuient

Cette ligne « ressent » l'eau

La truite aime l'eau propre et fraîche des torrents

Chaque poisson…   *vit dans l'eau…*   *qu'il préfère*

Une écaille

Les écailles s'agrandissent…   *quand les poissons grandissent*

Pourquoi les truites ne vivent-elles que dans les ruisseaux ?

La truite ne vit pas dans les eaux tièdes et troubles des étangs, ni même dans les larges rivières. Elle a besoin de l'eau pure et fraîche des ruisseaux ou des lacs de montagne. En effet, pour respirer, il lui faut 5 fois plus d'oxygène qu'une carpe, et 20 fois plus qu'une tanche. Cet oxygène, ce sont les cascades et les bulles des tourbillons qui l'apportent à l'eau. La truite est un carnivore qui chasse tout ce qu'elle voit bouger : gammares, portebois, petits poissons. Elle aime aussi lutter contre les torrents rapides. Mais elle ne supporte pas les eaux chaudes, ou même tièdes.

Peut-on pêcher partout des goujons ou des perches ?

Comme tous les animaux, les poissons ne vivent pas n'importe où. Les truites, les vairons, les ombles aiment les eaux fraîches, claires et rapides des montagnes. Les barbeaux et les goujons suivent les rivières. Dans les lacs et les larges cours d'eau calmes, parmi les algues, nagent les carpes, les tanches, les brèmes, les ablettes ou les poissons-chats, mais aussi les brochets et les perches. Et près de la mer, sont installés les flets, les aloses, les mulets...

Est-il vrai que les carpes vivent très longtemps ?

Si tu veux connaître l'âge d'un poisson, observe attentivement ses écailles. Sur chacune d'elles, tous les hivers, un petit trait sombre s'ajoute, un peu comme les « cercles » d'un tronc d'arbre. En plus, les biologistes pèsent et mesurent les poissons, comme des bébés. Ils savent ainsi qu'une truite peut vivre 12 ans, un gardon quelques années de plus, et une carpe, 20 ans ou davantage. On dit même que certains esturgeons, qui remontent parfois les fleuves, ont 100 ans. Mais bien souvent, les poissons ne vivent pas aussi longtemps. Ils n'en ont pas le temps : ils sont dévorés avant !

Les anguilles sont-elles vraiment des poissons ?

Oui. Mais quels poissons fantastiques ! Les anguilles de nos rivières naissent à des milliers de kilomètres de chez nous, au cœur de l'océan Atlantique, dans la mer des Sargasses. Après leur naissance, les jeunes voyagent pendant près de 3 ans avant de pénétrer dans leurs rivières. Ces petites anguilles translucides s'appellent alors des civelles. Dévorant toutes les proies possibles, elles grossissent pendant 5 ou 10 ans. Alors les plus âgées, gonflées d'œufs, retraversent l'océan Atlantique pour pondre, puis se laissent mourir, épuisées.

D'où viennent les saumons ?

Il y a très longtemps, tout le nord de la Terre était recouvert de glace. Lentement, en fondant, elle a libéré les pays et les mers qu'elle recouvrait, en mélangeant l'eau douce et l'eau salée. Peut-être les saumons n'ont-ils pas complètement « oublié » ce temps-là. En effet, aujourd'hui encore, les adultes vivent en mer, mais ils sont toujours obligés de regagner les eaux froides des ruisseaux pour faire leurs petits. Deux ou trois ans plus tard, les jeunes saumons argentés redescendent vers la mer. Plusieurs années après, ils reviendront à leur tour pondre dans leur ruisseau natal.

Les poissons de mer vont-ils dans les rivières ?

Dès le printemps, les éperlans, parents des saumons, viennent pondre dans les rivières. Les aloses, des cousines des harengs, aussi. Elles font ainsi des centaines de kilomètres pour déposer leurs œufs dans les graviers. Un autre poisson, aujourd'hui assez rare, vient pondre son « caviar » en eau douce : c'est l'esturgeon. De loin, il ressemble un peu à un requin. Il n'a pas d'écailles, mais porte des lignes de plaques osseuses, qui lui font une cuirasse autour de la tête et des flancs, comme certains poissons préhistoriques.

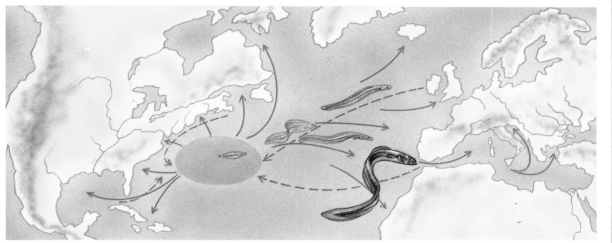

Les petites anguilles naissent près de l'Amérique. Elles nagent ensuite jusqu'à nos rivières

Les saumons viennent de la mer et remontent les rivières pour pondre

L'esturgeon ressemble à un poisson préhistorique

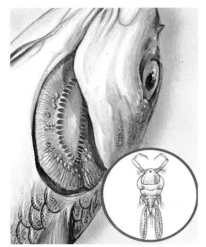
Des sortes de « poux »...

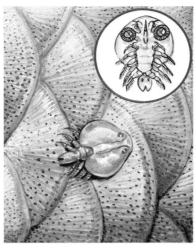
gênent les poissons

Les nageoires peuvent « moisir »

Le poisson cracheur

Des piranhas carnassiers

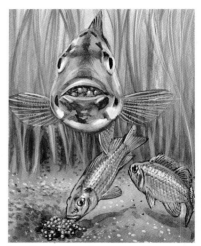
Le tilapia garde ses œufs

Y a-t-il des poissons vraiment bizarres ?

Beaucoup plus que tu ne crois ! En Australie, le dipneuste peut respirer dans l'air, grâce à un poumon, et en Afrique, son cousin s'endort dans la boue des rivières asséchées, en attendant la saison des pluies. En Inde, un poisson projette un jet d'eau sur les insectes en vol pour les faire tomber dans sa gueule. En Amérique du Sud, une anguille produit une décharge électrique capable de tuer un cheval, tandis qu'une bande de petits piranhas grignote une vache en quelques minutes. Plus sympathique, le tilapia du Nil garde ses nouveau-nés quelque jours dans sa bouche pour les protéger.

Les poissons sont-ils parfois malades ?

Comme nous, les poissons craignent certains microbes, certains virus, qui leur donnent des boutons, des furoncles, des infections. Leurs écailles ou leurs nageoires peuvent aussi se couvrir de champignons microscopiques, comme de la moisissure. Tu sais que certains chiens sont couverts de puces ; les poissons ont parfois, sur les branchies ou sur le corps, des « poux » qui les démangent. Sans oublier les sangsues qui se collent sur eux et leur sucent le sang. Les animaux qui vivent ainsi en gênant les autres s'appellent des parasites.

Existe-t-il des fermes de poissons ?

Dans la campagne, près d'une rivière claire, autour d'un lac, tu as peut-être vu un jour des rangées de bassins reliés par de petites cascades. Ce sont des élevages de truites. Les fermiers les remplissent de jeunes poissons, les alevins, qu'ils surveillent et nourrissent avec des granulés. Pour éviter les maladies, l'eau doit y être très propre et bien aérée. Car une seule maladie peut tuer tout le troupeau. Il existe aussi des élevages d'écrevisses, d'anguilles, de carpes. Et à l'embouchure de certaines rivières, dans d'étranges cages en filet, grandissent des saumons.

Dans certaines « fermes »...

on élève des poissons

Les poissons peuvent-ils disparaître d'une rivière ?

Les égouts qui se jettent dans les rivières sentent parfois très mauvais. Leur eau devient noire. Dans les champs, la pluie emporte les produits chimiques qu'utilisent les agriculteurs, et les rivières ne peuvent pas les faire disparaître tous. Quand on coupe tous les arbres d'un cours d'eau, quand on creuse trop un ruisseau, la terre des rives glisse et envahit tout. Parfois même, une usine électrique réchauffe brusquement l'eau d'un fleuve. Alors, les poissons ne peuvent plus vivre dans ces eaux abîmées, polluées. Ils tombent malades et souvent meurent. On les retrouve flottant le ventre en l'air.

Comment sait-on qu'une rivière est malade ?

Dans une eau polluée, les renoncules et les nénuphars meurent, tandis que certaines algues se multiplient si vite qu'elles étouffent et pourrissent. Ainsi, un lac ou un ruisseau à truites devient peu à peu un désert. Les larves d'éphémères ou de libellules, les têtards ne peuvent plus y vivre non plus. Les porte-bois, les gammares et les coquillages disparaissent. Il ne reste plus alors à cet endroit que des animaux « éboueurs » : les aselles, les vers de vase, les colonies de tubifex. Et dans les eaux complètement croupies, ne résistent plus que les moustiques et les vers « à queue de rat ».

Peut-on guérir une rivière malade ?

Il faut surtout éviter que l'eau soit polluée ! Surveiller que les égouts ne soient pas trop sales, que les produits utilisés pour les cultures ne soient pas dangereux, ne pas abîmer les berges. Les microbes de l'eau sont capables de « digérer » de nombreux déchets, mais pas tous. Et il faut des années pour que les éphémères ou les truites reviennent dans un ruisseau qui a été malade. Nous devons protéger les lacs, les marais, les étangs, les rivières. Pour sauver les poissons, les grenouilles, les insectes, les oiseaux... et nous aussi.

Dans les rivières trop sales, les plantes et les animaux meurent peu à peu

On peut étudier les animaux d'une rivière pour savoir si elle est malade

Dans une rivière propre, les plantes, les poissons et tous les animaux de l'eau se multiplient

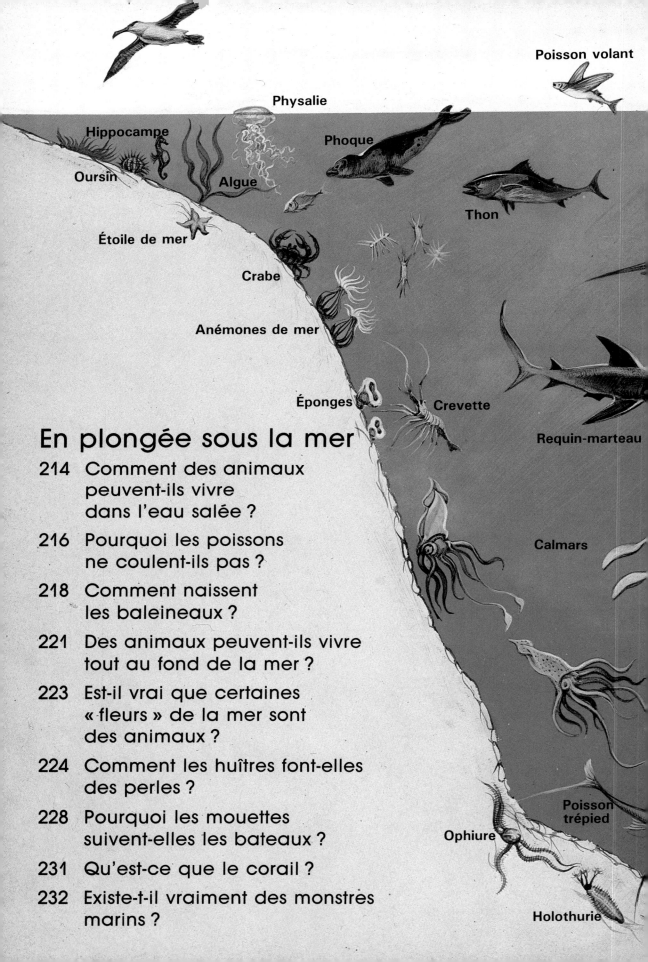

Poisson volant

Physalie

Hippocampe

Phoque

Oursin

Algue

Thon

Étoile de mer

Crabe

Anémones de mer

Éponges

Crevette

Requin-marteau

En plongée sous la mer

Calmars

Poisson
trépied

Ophiure

Holothurie

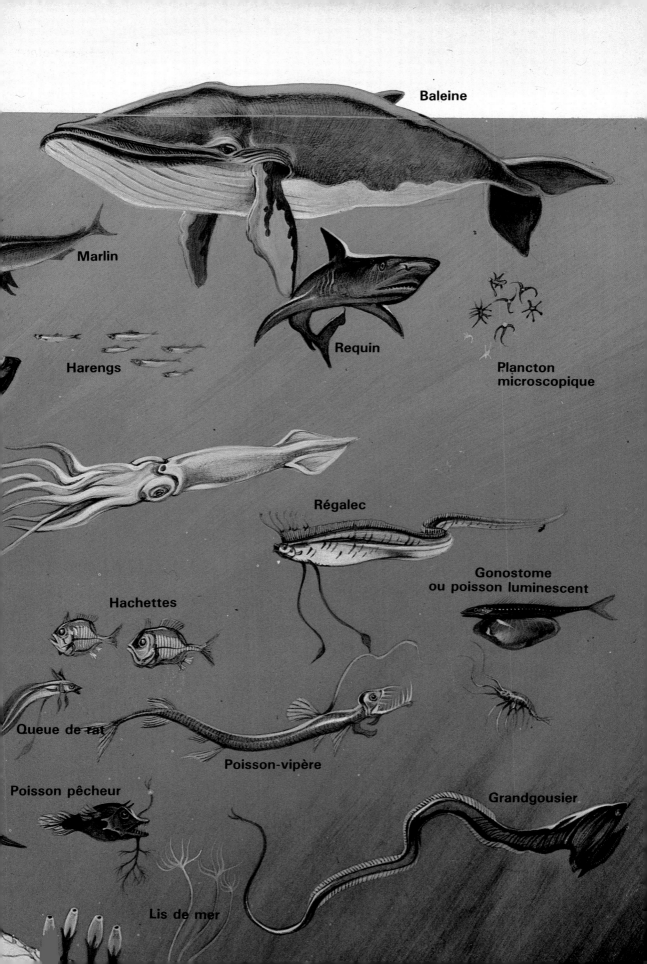

Baleine

Marlin

Requin

Harengs

Plancton microscopique

Régalec

Gonostome ou poisson luminescent

Hachettes

Queue de rat

Poisson-vipère

Poisson pêcheur

Grandgousier

Lis de mer

Comment des animaux peuvent-ils vivre dans l'eau salée ?

Si tu buvais une grande quantité d'eau de mer, tu serais malade, parce qu'elle est trop salée pour toi. Mais les animaux marins ne sont pas gênés par ce sel. Même s'ils en avalent beaucoup, ils sont capables de le « digérer », alors que les animaux terrestres ne peuvent pas le faire. Ils y prennent ce qui est bon pour eux et rejettent le sel qui est en trop. Ainsi, ils savent transformer l'eau de mer en eau presque douce !

Les animaux marins peuvent-ils respirer ?

Quand tu te baignes au bord de la mer, tu ne peux pas rester long-temps la tête sous l'eau. Tu manques d'oxygène. Si tu sors un animal de la mer, lui non plus ne pourra pas respirer. Il n'a pas de poumons, comme toi, mais des branchies, qui prennent dans l'eau l'oxygène qui s'y trouve. Il existe pourtant des animaux marins qui respirent de l'air. Ce sont les baleines, les phoques, les tortues... Ils ne peuvent pas vivre tout le temps sous l'eau, mais doivent souvent remonter pour reprendre leur souffle.

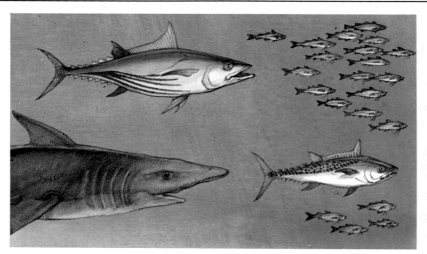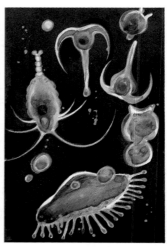

Les requins mangent les thons, qui mangent les anchois, qui mangent... le plancton microscopique

Tous les animaux marins peuvent vivre dans l'eau de mer

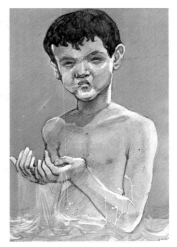

Pour toi, elle est trop salée

Baleine   Phoque

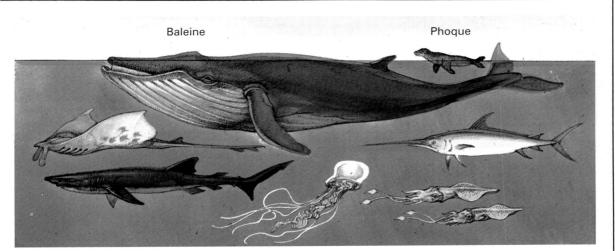

Seuls les mammifères marins doivent venir respirer à la surface

Que mangent les animaux marins ?

De très nombreux animaux vivent dans la mer. Certains sont herbivores. Ils se nourrissent de plantes marines, même microscopiques, un peu comme les vaches broutent l'herbe des prés. D'autres sont carnivores. Ils mangent des animaux, comme les lions qui dévorent les zèbres. Ainsi, les herbivores mangent les plantes ; les carnivores mangent les herbivores ou des carnivores plus petits. Le repas de la baleine est le plus extraordinaire de tous. C'est le plus gros animal de la Terre. Pourtant, il ne se nourrit que de plancton et de minuscules crevettes !

Les poissons voient-ils bien dans l'eau ?

Les poissons ont de grands yeux, mais ils ne voient pas bien sous la mer, car il y fait sombre, et l'eau est souvent trouble. Ils ont d'autres moyens de savoir ce qui se passe autour d'eux. Ils sentent l'eau. Ils la goûtent. Ils reçoivent tous ses bruits, même ceux que tu ne peux pas entendre. Les poissons ont également tout le long du corps une petite « ligne » spéciale qui ressent les agitations de l'eau. On peut presque dire que ces animaux ont des oreilles, des yeux ou des doigts très sensibles sur tout le corps.

Pourquoi les poissons ne coulent-ils pas ?

Souvent, les poissons restent presque immobiles. Pourtant, ils ne coulent pas. Ils ont dans le corps une poche pleine d'air, qui leur permet de flotter sous l'eau. Les requins, eux, n'en ont pas. Ils doivent sans cesse nager pour ne pas tomber au fond. Les poissons ont aussi beaucoup de nageoires. Mais ils ne s'en servent pas comme de rames. Elles les aident à se tenir droits dans l'eau et à tourner quand ils le veulent. Pour nager, ils agitent très fort leur queue. Et leur corps recouvert d'écailles glisse bien.

Existe-t-il des poissons qui s'enfoncent dans le sable ?

Presque tous les poissons vivent au milieu de l'eau. Mais certains s'installent sur le fond de la mer, près des côtes, où il y a du sable dans lequel ils peuvent s'enfoncer. Ces drôles de poissons, tu les connais. Ils sont tout plats, comme la sole. Si tu les regardes bien, tu verras que leurs deux yeux sont du même côté de la tête. D'autres poissons qui se cachent dans le sable, comme la vive ou certaines raies, sont dangereux. Ils laissent dépasser un aiguillon empoisonné. Gare à qui s'y frotte. Il pique très fort.

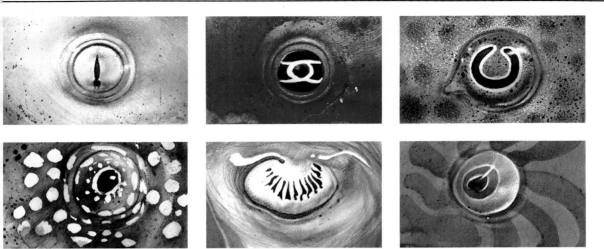

Tous les poissons ont des yeux, mais ils ont d'autres moyens pour se diriger sous l'eau

La plupart des poissons ont une poche pleine d'air qui les empêche de couler

Un turbot tapi sur le fond   *De curieux poissons enfouis*   *Une vive se cache dans le sable*

Une cage anti-requins *Certains requins sont féroces...* *mais pas le gros requin-baleine*

Comment les dauphins se comprennent-ils ?

Si tu essaies d'ouvrir les yeux sous l'eau, tu ne verras pas grand-chose. Mais dans la mer, au contraire, on entend très bien, à condition d'avoir des oreilles un peu spéciales. Les dauphins, par exemple, comme leurs cousines les baleines, poussent sans arrêt de drôles de cris, des sifflements, des grognements. Ils peuvent les entendre à plusieurs kilomètres de distance. Ils ont un vrai langage, compliqué, et se comprennent très bien. Ils se préviennent des dangers, s'appellent à l'aide ou signalent à leurs compagnons les bancs de poissons.

Comment naissent les baleineaux ?

Les baleines passent tout l'été dans les eaux froides des pôles. Puis elles reviennent vers des mers un peu plus chaudes pour avoir leur petit. Ce bébé, qui pèse déjà 2 000 kg, naît dans l'eau. Pourtant, la baleine n'est pas un poisson, mais un mammifère, comme les phoques ou les chiens. Bien sûr, elle est habituée à vivre dans la mer, mais elle ne peut pas y respirer. Le baleineau, aidé par sa mère, doit donc tout de suite monter à la surface. Ensuite, il va téter. Il boit tellement de lait qu'il grossit de 100 kg par jour.

Tous les requins sont-ils féroces ?

Les requins sont de formidables chasseurs, forts et rapides. Ils sont carnivores, et tuent pour se nourrir des poissons, et même des phoques et des baleines. On parle parfois des requins mangeurs d'hommes. Ils existent vraiment, mais ils sont rares. Le requin blanc, par exemple, est très dangereux. Les plus grands requins ne sont d'ailleurs pas les plus terribles. Peut-être connais-tu le requin-baleine ? Ce géant n'avale que du plancton microscopique. D'autres requins, pas bien méchants non plus, sont tout petits, comme la roussette.

Les dauphins savent communiquer en poussant des cris sous la mer

La naissance d'un baleineau

La mère baleine allaite son petit

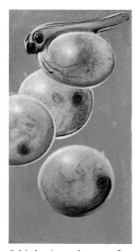

L'éclosion des œufs

Presque tous les poissons pondent. Quelques-uns font leurs petits vivants

Comment vivent les petits des animaux marins ?

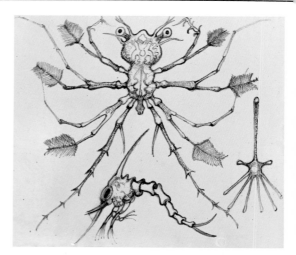

Des larves microscopiques d'animaux marins

La plupart des animaux marins ne s'occupent pas de leurs petits, qui doivent se défendre tout seuls. Ils vivent près des côtes, où ils peuvent se cacher dans les algues en cas de danger. Ils y trouvent aussi leur nourriture. Pourtant, beaucoup d'œufs sont mangés. Voilà pourquoi les animaux marins en pondent énormément, parfois des millions. Si les petits ne sont pas dévorés après leur naissance, ils continuent de grandir près des côtes. Quand ils seront assez forts, ils partiront en pleine mer, comme leurs parents.

Une anémone de mer pond

Tous les poissons pondent-ils des œufs ?

Comme les oiseaux, presque tous les poissons font des œufs. Mais ils en pondent beaucoup et ne se construisent presque jamais de nid. Ils abandonnent leurs œufs dans l'eau, souvent dans des paquets d'algues. Les petits naissent tout seuls. Quelques espèces de poissons font leurs petits vivants, un peu comme les baleines. Ainsi, certains requins et certaines raies ne pondent pas d'œufs. Les femelles les gardent dans leur ventre, où ils grandissent et éclosent. Les bébés ne sortiront que lorsqu'ils seront assez forts pour se défendre.

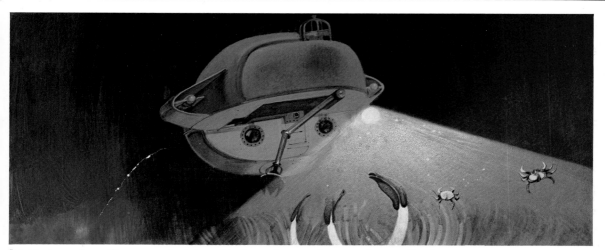

Le sous-marin « Cyana » photographie les animaux des grandes profondeurs

Des animaux peuvent-ils vivre tout au fond de la mer ?

Plus on s'enfonce dans la mer, plus le poids de l'eau devient important. Tu sais peut-être qu'un litre d'eau pèse un kilogramme. Dans les grandes profondeurs, un animal porte donc plusieurs tonnes d'eau sur le corps. Pourtant, des poissons, des mollusques, des étoiles de mer et bien d'autres animaux vivent tout au fond. Ils ne sont pas écrasés. Leur corps mou est gonflé si fort par des liquides qu'ils ne sentent pas le poids de l'eau de mer.

A quoi servent les antennes des langoustes ?

Sous la mer, les langoustes et les crevettes agitent sans cesse leurs grandes antennes. Elles leur sont très utiles. Elles leur permettent de goûter l'eau. Elles leur servent à reconnaître l'endroit où elles sont, comme quand tu avances à tâtons dans le noir. Avec leurs antennes, les langoustes sentent aussi les mouvements de l'eau et repèrent leurs ennemis. Parfois, elles les utilisent même pour se défendre.

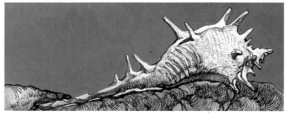

Comme l'oursin, de nombreux animaux portent des piquants pour se défendre

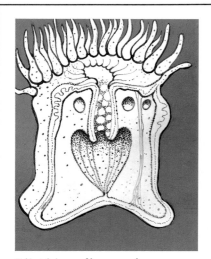

L'intérieur d'une anémone

Elle agite ses tentacules...

ou s'installe sur un coquillage

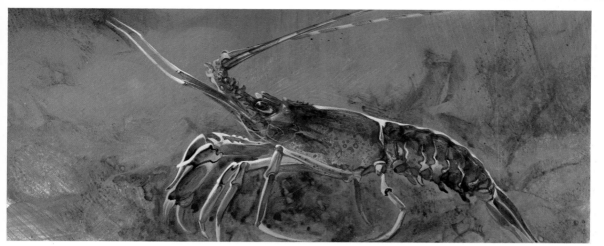
Les grandes antennes des langoustes leur servent à s'orienter au fond de l'eau

Pourquoi l'oursin a-t-il des piquants ?

L'oursin est un drôle d'animal. Il a le corps entouré d'une sorte de carapace dure, pleine de piquants. Ainsi, il est bien protégé. Gare à qui l'approche de trop près ! L'oursin peut aussi bouger ses piquants, qui l'aident à se déplacer. D'autres animaux marins se protègent grâce à leurs piquants. Des crabes à carapace, des coquillages couverts de pointes et même des poissons qui portent des aiguillons empoisonnés, comme les vives et les rascasses.

Est-il vrai que certaines « fleurs » de la mer sont des animaux ?

Des animaux qui ressemblent à des fleurs ? Oui, cela existe ! Sous la mer, on peut en voir qui ont souvent de belles couleurs. Ce sont des anémones de mer. Elles remuent lentement, balancées par les mouvements de l'eau. Elles vivent fixées sur le fond ou sur un rocher. Il faut s'en méfier, car chacun de leurs nombreux « bras » porte des milliers de petites aiguilles empoisonnées. Si un poisson passe trop près, il se pique, un peu comme quand tu frôle une ortie. Il est aussitôt paralysé, et l'anémone de mer peut le manger, même si elle ne le fait pas vite.

223

Comment les huîtres font-elles des perles ?

Regarde bien une huître. Tu verras qu'à l'intérieur de la coquille, elle a une sorte de peau très fine et très fragile. Parfois, un grain de sable ou un petit débris vient se glisser entre la peau et la coquille. L'huître sent un picotement. Exactement comme quand tu as une poussière dans l'œil. Alors, elle fabrique pour s'en protéger un petit bout de coquille qui entoure le grain de sable ou le débris. Comme ça, il ne la gênera plus. Ce nouveau morceau de coquille, tout rond et tout brillant, grossit très lentement : c'est la perle.

Pourquoi les couteaux et les coques vivent-ils dans le sable ?

Les couteaux et les coques sont des coquillages marins. Ils vivent sur les plages de sable. Lorsque la marée descend et qu'ils se retrouvent hors de l'eau, ils risquent d'être vite desséchés par le soleil. Alors, ils s'enfoncent dans le sable pour s'abriter. Quand l'eau revient, ils remontent un peu, mais jamais complètement. Leur coquille reste toujours enfouie. Ils laissent juste dépasser une sorte de trompe qui leur permet de pomper l'eau. Car, pour se nourrir, ils la filtrent, comme le font leurs cousines les moules.

Les coquilles Saint-Jacques ont-elles des yeux ?

Tu penses peut-être que tous les animaux qui vivent à l'intérieur de leur coquille sont aveugles. C'est souvent vrai. Ils n'ont pas vraiment besoin de voir, car ils restent fixés ou se déplacent très lentement. La coquille Saint-Jacques ne s'accroche pas sur un rocher. Elle sait même nager très vite. Mais elle a des ennemis et il faut qu'elle puisse les voir pour se sauver à temps. Pour cela, elle a des dizaines d'yeux autour du corps. Il est très amusant de la voir, posée sur le sable, sortant tous ses yeux pour regarder autour d'elle.

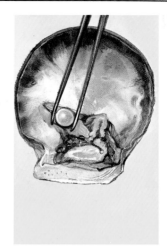

n collier de perles

La pêcheuse d'huîtres descend très profond

Voilà la perle!

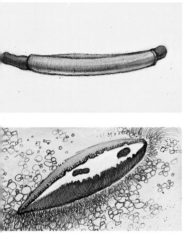

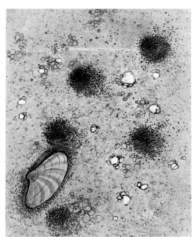

es coquillages s'enfouissent

Ils laissent des trous...

et dépassent juste un peu

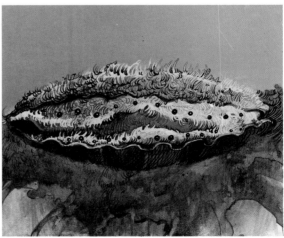

ne coquille Saint-Jacques

Ses dizaines d'yeux surveillent les alentours

225

Y a-t-il vraiment des éponges dans la mer ?

L'éponge de ta cuisine est fabriquée dans une usine : on dit qu'elle est synthétique. Mais peut-être as-tu déjà vu cette grosse éponge beige et si douce pour la toilette ? C'est le squelette d'un très curieux animal marin. Il n'a pas de bouche, pas d'estomac, pas d'yeux et pas d'oreilles... Ce simple « sac » est pourtant bien un animal qui filtre l'eau pour se nourrir. Dans les mers chaudes, des pêcheurs plongent très profond pour ramasser des éponges.

Comment vivent les moules ?

Quand les moules sortent de leur œuf, ce sont des larves minuscules. Elles se déplacent en suivant les courants de la mer. Puis, tout doucement, leur coquille commence à pousser. Bientôt, elles deviennent trop lourdes et ne peuvent plus nager. Alors, elles s'accrochent à un rocher où elles passeront toute leur vie. Mais pour grossir, elles doivent se nourrir. Les moules ne chassent pas. Elles filtrent l'eau et retiennent tout ce qui est bon à manger. Fais attention aux moules fixées sur les rochers : leurs coquilles coupent les pieds.

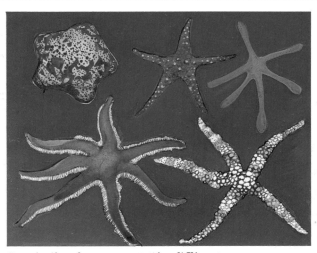

Les étoiles de mer sont très différentes

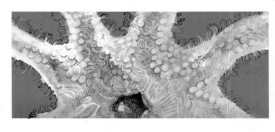
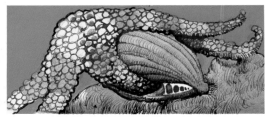

Elles peuvent dévorer des coquillages

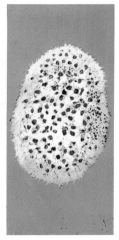

Pour le bain, une véritable... *éponge* *La récolte des éponges*

Les moules s'accrochent aux rochers par une touffe de poils *Un élevage de moules*

Une étoile de mer peut-elle manger ?

Bien sûr. Tous les animaux mangent. L'étoile de mer est même un excellent chasseur. Si tu regardes son ventre, tu verras, au centre des cinq branches, une bouche armée d'un solide « bec ». Quand elle a faim, l'étoile de mer cherche un coquillage, une moule par exemple. Elle se pose dessus et colle ses bras sur la coquille grâce à ses puissantes ventouses. Puis elle tire. Très lentement, mais très fort. Ainsi, elle ouvre la moule et peut la manger. Les étoiles de mer font des ravages dans les élevages de coquillages.

Est-il vrai que certains poissons volent ?

Les marins qui traversent les océans retrouvent parfois sur le pont de leur bateau d'étranges animaux. Ce sont des poissons volants. Ils vivent en grandes bandes et, en cas de danger, ils s'enfuient dans tous les sens. Ils nagent très vite, juste sous la surface de l'eau, et hop ! brusquement, ils bondissent. Ils étendent leurs vastes nageoires comme des ailes et peuvent ainsi planer sur plusieurs dizaines de mètres. Leur ennemi ne peut pas les suivre. Quand ils retombent dans l'eau, ils sont loin. Mais parfois, ils atterrissent sur un bateau.

Un poisson volant

Les mouettes trouvent autour des bateaux

Pourquoi les mouettes suivent-elles les bateaux ?

Beaucoup d'oiseaux accompagnent les bateaux, les mouettes, les goélands, bien d'autres encore. Ces oiseaux pêchent des poissons en pleine mer. Mais ils savent aussi qu'en suivant les navires, ils pourront attraper tout ce qui tombe à l'eau : les poissons qui s'échap-

Ces poissons bondissent devant les navires

Où habitent les oiseaux de mer ?

Il y a beaucoup d'oiseaux de mer. Mais souvent, comme la plupart des mouettes et des goélands, ils ne vont pas bien loin. Ils préfèrent rester près des côtes. Certains, très beaux, les albatros par exemple, passent leur vie en haute mer. Toute l'année, ils volent et plongent pour pêcher des poissons. Quand ils veulent se reposer, ils descendent et se laissent bercer par les vagues. D'autres grands oiseaux, les frégates, ne se posent presque jamais : ils vivent vraiment entre le ciel et l'océan. Ils ne reviennent à terre que pour pondre et couver leurs œufs.

une abondante nourriture

Un cormoran plonge sur sa proie

pent des filets, les restes et les déchets des poubelles que l'on vide dans la mer. Voilà un vrai régal, facile à pêcher… quand on est un oiseau de mer !

Une colonie d'oiseaux de mer

Pourquoi certaines algues ressemblent-elles à du caoutchouc ?

Les algues ne sont pas des plantes comme les autres. Elles ne font jamais de fleurs, et vivent dans l'eau. Mais elles ont du mal à résister aux vagues, ou au soleil quand la mer est basse. C'est un peu pour cela qu'elles sont si vis-queuses, glissantes, très solides et aussi souples que du caoutchouc. D'autres sont fines et fragiles comme de la dentelle. Certains coquillages, les escargots de mer, par exemple, rongent les algues avec leur langue râpeuse. Des poissons en arrachent de petits morceaux et les avalent.

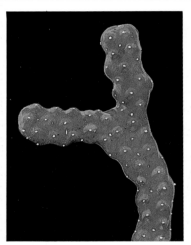
Les coraux...

sortent leurs tentacules

Un spectacle magnifique

D'autres animaux vivent-ils parmi les coraux ?

Lorsque les coraux meurent, leurs « squelettes » de pierre s'entassent. Ils peuvent former d'immenses murs, de vastes barrières souterraines où viennent parfois se briser les vagues. Ce sont des récifs. Ils servent de refuge à une foule d'animaux qui s'y cachent pour échapper aux mérous, aux murènes et aux requins. Les récifs sont les fonds les plus peuplés des océans. Poissons-papillons, poissons-clowns nagent entre les coraux et les anémones de mer. Les poissons-perroquets croquent même le corail avec leur puissante mâchoire en forme de bec.

Au fond de la mer　　　*Rochers couverts d'algues*　　　*Les algues ont des crampons*

Qu'est-ce que le corail ?

Au fond des mers chaudes grandissent des « branches », des « coussins » bruns ou rouges : c'est le corail — ou, plutôt, les coraux. Ce sont en réalité d'immenses colonies d'animaux qui vivent serrés les uns contre les autres, protégés dans une « pierre » qu'ils fabriquent eux-mêmes. Chaque animal est très simple : une sorte de sac dont l'ouverture est entourée de plusieurs tentacules empoisonnés. Cette « bouche » capture les proies que le sac digère ensuite lentement. A l'intérieur de nombreux coraux, poussent aussi des algues microscopiques qui les aident à se nourrir et à fabriquer leur « pierre ».

Les récifs de corail accueillent de très nombreux animaux

Un poisson-perroquet

Existe-t-il vraiment des monstres marins ?

Parfois, dans les livres d'aventure, on voit des monstres qui vivent au milieu des océans. Ces histoires racontent comment des marins se battent contre des serpents de mer fantastiques, des pieuvres géantes capables de couler un navire et bien d'autres bêtes extraordinaires. En réalité, ces monstres marins n'existent pas. Pourtant, certains animaux, qui vivent en eaux très profondes, sont vraiment étranges. Les uns nous paraissent horribles, mais ils ne sont guère plus gros que des sardines. D'autres sont tellement gigantesques qu'ils nous semblent « monstrueux », comme certains calmars géants.

Pourquoi dit-on que la mer est malade ?

C'est vrai, on peut dire que la mer est malade. D'une curieuse maladie que l'on appelle la « pollution », parce que les hommes y jettent des ordures et beaucoup de produits dangereux. En Méditerranée, des kilomètres de côtes près desquelles vivaient il y a vingt ans de très nombreux poissons sont aujourd'hui désertes. Ailleurs, le pétrole recouvre la mer d'une couche grasse et collante : c'est la marée noire. L'eau devient alors si sale que les poissons et les algues ne peuvent plus y vivre. Ils meurent par millions.

Peut-on guérir la mer ?

La mer est un peu comme nous. Plus elle est malade, plus il est difficile de la soigner. Les petites mers, très polluées, ne guériront peut-être jamais. Pour sauver la mer, nous devons arrêter d'y jeter des ordures et des produits dangereux. Il faut aussi cesser de pêcher toujours les mêmes poissons aux mêmes endroits. Car ils n'ont pas le temps de pondre leurs œufs et risquent un jour de disparaître complètement. Et même quand une mer polluée est guérie, les algues et les animaux mettent souvent longtemps avant de revenir s'y installer.

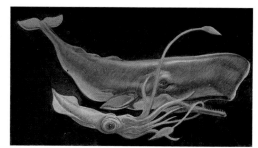

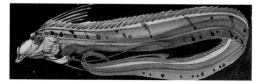

Un monstre imaginaire

Ces animaux existent vraiment

Un pétrolier naufragé

Prisonnier de la marée noire

Un port très pollué

Les algues et les animaux marins ne peuvent vivre que dans une eau très propre

Des secrets et des surprises

Existe-t-il des animaux très rares ?

Les animaux les plus rares vivent souvent dans les régions où les hommes ne vont presque jamais. Par exemple, il existe d'énormes lézards sur les îles isolées des Galapagos, dans l'océan Pacifique, ou celle de Komodo, en Indonésie. En Australie, le koala, sorte de « petit ours en peluche » parent des kangourous, vit encore en liberté au cœur des forêts. Mais d'autres animaux, comme les gorilles ou les ânes sauvages d'Afrique, deviennent de plus en plus rares parce que les chasseurs les tuent depuis longtemps. En Asie, certains rhinocéros ont presque disparu, à cause des fusils des hommes.

Y a-t-il des animaux tout petits ?

Tu as déjà rencontré des papillons, des oiseaux, des mammifères. Tu les vois bien parce qu'ils sont assez gros. Pourtant, certains papillons sont presque aussi minuscules qu'une tête d'épingle. A Cuba, vit un oiseau si petit qu'une femelle et toute sa nichée tiendraient dans une cuiller. Quant au plus petit mammifère qui trotte sur la Terre, c'est une musaraigne d'Europe. Elle pèse moins de deux grammes et pourrait se promener facilement sur ta main.

A quoi ressemble l'ornithorynque ?

L'ornithorynque est vraiment curieux. Cet animal, pas plus gros qu'un lapin, vit en Australie et se nourrit de vers et de mollusques qu'il trouve dans les rivières grâce à son museau en forme de bec de canard. Ses pattes palmées lui permettent de nager sans difficulté, et il se sert de ses griffes pour creuser de longs terriers. Encore plus étrange : c'est un mammifère, mais il pond des œufs ! Après l'éclosion, les nouveau-nés lèchent le ventre de leur mère sur lequel coule du lait, car les femelles n'ont pas de mamelles qui dépassent.

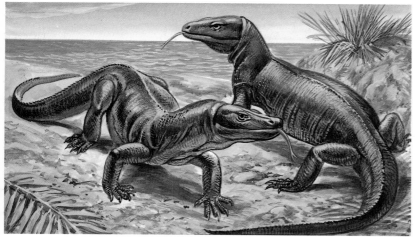
Des lézards géants vivent sur l'île de Komodo

Le koala

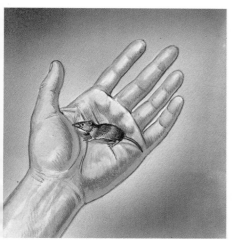
C'est bien une musaraigne !

Les plus petits oisillons

Un papillon minuscule

L'ornithorhynque est très étrange

La tétée après l'éclosion

237

L'okapi d'Afrique

Le cœlacanthe

Un biologiste au travail

Un dragon imaginé par les Chinois

Le dragon d'un carnaval

Trouve-t-on vraiment des dragons en Chine ?

Imagine des bêtes terrifiantes qui crachent du feu... Des pays où des monstres gardent des palais fabuleux... Il y a très longtemps, les anciens Chinois ont inventé des histoires pleines d'animaux étranges. Mais pour eux, leurs dragons n'étaient pas méchants.

Ils les craignaient simplement parce qu'ils représentaient leur empereur. Aujourd'hui encore, pendant les carnavals, les Chinois promènent souvent un dragon en tissu. Ils croient que cela leur portera bonheur. Mais il n'existe aucun dragon vivant. Tu n'en verras jamais nulle part. Même si quelques lézards géants leur ressemblent un peu.

Y a-t-il encore des animaux inconnus ?

Les savants ont découvert il y a moins de 100 ans un animal que les Pygmées d'Afrique connaissaient depuis longtemps : l'okapi, qui ressemble à la fois à une girafe, à un zèbre et à une antilope. Certains spécialistes passent ainsi leur vie à rechercher des bêtes inconnues. Ils trouvent souvent des insectes ou des espèces marines qu'ils n'ont encore jamais vus. Comme le poisson cœlacanthe ou des touffes de vers géants dans les grands fonds des océans. Combien en reste-t-il à découvrir sur la Terre ? Personne ne le sait.

Est-ce que les éléphants vivent cent ans ?

Tu penses peut-être que plus un animal est gros, plus il vit longtemps. Par exemple, on dit que les très vieux éléphants ont 100 ans. Ce n'est pas vrai. Les plus âgés ont environ 60 ans. Car, dans la nature, la vie est dure. Les animaux peuvent mourir de maladie, les ennemis rôdent et la nourriture n'est pas facile à trouver. Dans un zoo ou dans un cirque, un éléphant peut vivre un peu plus longtemps. Mais jamais il ne devient centenaire. En revanche, certaines tortues des îles Galapagos ont au moins 100 ans, peut-être deux fois plus.

Les éléphants ne deviennent pas centenaires

Certaines tortues géantes ont peut-être 200 ans

Pourquoi les gazelles se battent-elles si violemment ?

Les animaux d'une même espèce se battent parfois entre eux. Les éléphants de mer, par exemple, se mordent furieusement. Les singes ou les loups également. Mais il est rare qu'ils se tuent. Les mâles se battent souvent pour garder leur femelle, ou montrer qu'ils sont les chefs d'un troupeau. Chez les gazelles, d'habitude très calmes, cette lutte entre mâles peut devenir terrible. Ils s'assomment ou même se tuent à grands coups de tête et de cornes.

Les loups se battent mais ne se tuent pas

La lutte des mâles gazelles est terrible

Y a-t-il des animaux qui ne peuvent pas se défendre ?

A coups de cornes, de sabots, de griffes ou de dents, les animaux se défendent. Certains utilisent même de violents poisons, les serpents ou les scorpions par exemple. Mais que font ceux qui n'ont aucune de ces armes ? Les uns s'enfuient très vite devant leur ennemi, comme l'oiseau devant le chat sauvage. D'autres essaient de faire peur à leur adversaire. Ils hérissent leurs plumes ou leurs poils. D'autres, surtout les grands singes, gesticulent en hurlant. D'autres enfin se cachent : en changeant de couleur et de forme, ils se confondent avec les feuilles ou la neige qui les entourent.

Tous les animaux protègent-ils leurs petits ?

Même si la plupart des insectes et des reptiles ne s'occupent pas de leurs petits, beaucoup d'animaux sont des parents affectueux. Ainsi, les mâles et les femelles oiseaux s'occupent en général bien de leurs petits. Ils leur construisent un nid douillet, les couvent, les protègent et leur apportent à manger jusqu'à ce qu'ils soient assez grands pour vivre seuls. Chez les mammifères, les femelles nourrissent leurs nouveau-nés de leur lait. Elles leur apprennent à se défendre. Elles les transportent parfois avec elles et la plupart les gardent férocement. Pourtant, il arrive que certains animaux mangent leurs petits.

Sur le dos de sa mère

Promenade des petits opossums

La becquée des pélicans

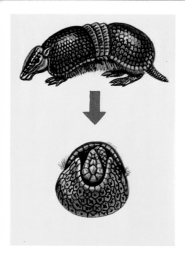
Le tatou se met en boule

Ce lézard gonfle sa collerette

Un insecte bien caché

Quels sont les plus jolis nids du monde ?

Des millions d'oiseaux volent dans le ciel, et chaque espèce construit un nid différent. Celui de certains oiseaux-mouches est plus petit qu'une cuiller, celui de certains aigles plus gros et plus lourd qu'une voiture. Duvet, brindilles, salive ou toile d'araignée, tout peut servir à construire un nid. Il est parfois fermé comme une balle, ouvert comme un bol, suspendu comme une balançoire ou flottant comme un radeau. Le tisserin d'Afrique tisse un nid vraiment très compliqué. L'oiseau à berceau, lui, le décore de couleurs pour attirer sa femelle. Et il y en a beaucoup d'autres. A toi de choisir le plus joli !

Est-il vrai que les singes savent se servir d'outils ?

Parfois, les chimpanzés s'arment d'un bâton pour mettre en fuite un léopard, ou d'une brindille pour attraper les termites dans leur termitière. D'autres animaux savent aussi utiliser un « outil ». La loutre marine casse les coquillages en les frappant sur une pierre qu'elle se pose sur le ventre. Certains vautours laissent tomber des cailloux sur des œufs pour briser leur coquille et les manger. Un pinson perce même l'écorce des arbres pour aller chercher les larves dont il se nourrit.

Peut-on parler aux animaux, comme Tarzan ?

Des chercheurs ont observé, écouté patiemment les animaux. Surtout les oiseaux. Ils savent maintenant que les canards sauvages crient souvent « couaig, gaigaigaig » et les oies cendrées « rangangangang ». Mais ce n'est pas tout. « Gangang » signifie que l'oie va s'envoler, tandis que « gangangangang » veut dire « Allons-nous-en » et que « ganginegang » permet de rassembler les oisons. D'autres savants essaient de « parler » avec de grands singes. Ils s'expriment par gestes. Mais ce n'est pas facile. Et Tarzan n'existe pas !

Le tisserin d'Afrique

Le nid de l'hirondelle

L'aigle et ses petits

Un repas de termites

D'étranges « outils »

Le vautour briseur d'œufs

Il parle aux animaux

Le langage des sourds-muets... est appris aux chimpanzés

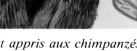

Au printemps, les cigognes reviennent d'Afrique...

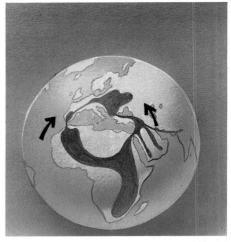

Elles ont dû faire un long voyage

Comment certains oiseaux font-ils pour voyager si longtemps ?

Pendant leurs grands voyages, des millions d'oiseaux volent pendant des heures, sans s'arrêter, plusieurs jours de suite. Les sternes, par exemple, parcourent ainsi 20 000 km, du pôle Nord au pôle Sud. Ces grands voyages, les migrations, sont très difficiles. De nombreux oiseaux meurent de fatigue. D'autres se perdent dans le mauvais temps ou s'écrasent contre les phares ou les pylônes. Beaucoup pourtant arrivent au but. Mais comment gardent-ils la bonne route ? Ils reconnaissent sans doute les montagnes ou les îles, et ils doivent se guider par rapport au Soleil ou aux étoiles.

Certains oiseaux se déplacent par millions

Tous les ans, ces oiseaux retrouvent leur route

D'où viennent les cigognes qui arrivent chez nous ?

Au printemps, dès qu'il fait moins froid, les cigognes arrivent chez nous. Elles viennent d'Afrique où elles trouvent en hiver tout ce qu'il faut pour se nourrir. Elles évitent de traverser la mer Méditerranée et passent le plus possible au-dessus de la terre. Dans nos régions, elles se régalent de grenouilles et de sauterelles. Mais dès que le froid revient, les cigognes regagnent l'Afrique. Comme elles, les hirondelles, les fauvettes, les palombes et de nombreux oiseaux de mer vont et viennent suivant les saisons.

Est-il vrai qu'il existe des nuages de sauterelles ?

Il existe vraiment des nuages d'insectes. Pourtant, ce ne sont pas des sauterelles, mais des criquets. Dans les régions chaudes, ils se rassemblent par milliards et volent tous ensemble, portés par les vents. Ils sont si nombreux qu'ils cachent le soleil. Lorsqu'ils se posent, c'est la catastrophe. Un nuage de criquets dévore en un jour autant de feuillage que tout un troupeau d'éléphants. Ils s'attaquent même aux tissus ou aux poteaux des clôtures. Après leur passage, il ne reste qu'un désert. Quand ils meurent, le sol est couvert de tant de cadavres que, parfois, les voitures et même les trains ne passent plus.

Les nuages de criquets dévastent tout

Un criquet migrateur

Y a-t-il des pays uniquement habités par des animaux ?

Dans certaines îles isolées, les seuls habitants sont des animaux. Il existe aussi des pays faits spécialement pour eux, des réserves créées par les hommes. Là, personne ne les chasse. En Afrique, par exemple, dans ces immenses réserves, vivent des éléphants, des rhinocéros et des crocodiles, mais également des insectes et des serpents. Car, pour survivre, ils ont besoin d'être tous ensemble. Des vétérinaires soignent tous ces animaux, aident leurs petits à naître. Des gardiens les comptent et les surveillent. Chez nous, en Europe, des parcs moins grands protègent aussi les animaux.

Comment les animaux peuvent-ils vivre dans les zoos ?

Dans un zoo, tu peux voir de près des tigres, des ours blancs, des crocodiles ou des perroquets. Tu peux les sentir, les entendre. Mais tous ces animaux ne peuvent pas chasser : ils sont nourris par des gardiens. Quand ils ont trop chaud ou trop froid, des vétérinaires doivent les soigner. Ils restent souvent tout seuls dans leur cage. La volière la plus grande, le rocher le mieux aménagé, le bassin le plus propre ne seront jamais le vrai pays des animaux sauvages. Pour eux, rien ne peut remplacer la vaste savane, la jungle touffue, la forêt dense ou les hautes montagnes.

L'heure de la tétée

Un couple de pandas

Cet animal est très rare

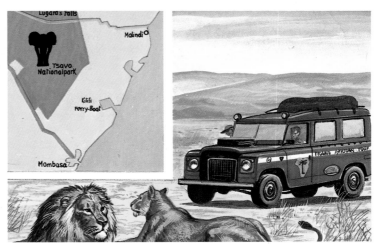

Au pays des oiseaux

Promenade dans une réserve africaine

Dans un zoo, la vie des animaux n'est pas toujours facile

Des animaux sauvages naissent-ils parfois dans des zoos ?

Une naissance dans un zoo, c'est merveilleux, mais rare. Les animaux supportent mal d'être enfermés et refusent souvent de se reproduire en cage. Un girafeau, un éléphanteau, un lionceau nés dans un zoo resteront des petits prisonniers. Quelquefois, pourtant, les zoos permettent de protéger une espèce devenue très rare dans la forêt ou la savane. Certaines gazelles, par exemple, ont pratiquement disparu et les dernières ne vivent plus aujourd'hui que dans des zoos.

Pour retrouver
tous les animaux du monde

Le tour du monde des animaux

N° d'Editeur 4699800
dépôt légal septembre 1990
Imprimé en Italie par Gruppo Editoriale Fabbri, Milano
ISBN 2.09.222299-6